副業・在宅OK、
未経験からはじめられる

文章起業で月100万円稼ぐ!

藤原将

大和出版

はじめに　「文章起業」はリスクゼロで人生を変えられる選択

本書は、限りなく**リスクを抑えた起業手順をお教えし、最短距離で新たな収入源を得ていただくための本**です。

今からお伝えするその手法を、私は**「文章起業」**と呼んでいます。

スタートに必要なものは、本書とパソコンとインターネットのみ。

文章起業では、**働く場所・時間を選ばないWebライター**になり、インターネット上に掲載される記事を書いてお金を稼ぎます。

スキマ時間を使い、**自宅にいながら一人で起業できる**ため、「育児・介護のため移動できない」「感染症が怖いから外出は控えたい」「ブラックな労働環境から抜け出したい」「もう人間関係に悩みたくない」といった問題への対応策として機能します。

また、新たな収入源を得られるため、減給・リストラなど収入面の不安の解消につながり、生活に経済的な余裕を生み出せるのです。

この本では、文章起業を軌道に乗せるノウハウを、文章を書く習慣がない人でも実践できる形で解説します。目指す収入によってやるべきことは変わるため、「月収5万円→15万円→50〜100万円」と、得られる金額によって内容を分けており、副業〜独立まで目標にあわせてお使いいただけます。

Webライターは、インターネット上に掲載される〝読者の役に立つ記事〟を書くという、ある意味シンプルな仕事です。仕事のやり取りは全てオンライン上で完結し、特別な才能や経歴がなくても月収100万円を目指せる、多くの人にとって魅力的な働き方だと言えます。

しかし、Webライターを始めてみたものの「どのように行動すれば良いのか」がわからず、あまり稼げないまま撤退してしまうケースは珍しくありません。

本書を執筆した背景には、「挑戦に失敗して挫ける人を減らしたい」といった想いもありました。

実のところ、私もWebライターを二度挫折しています。でも三度目の挑戦が**私の**

人生をポジティブに変えました。

きっと諦めていった人たちも、軌道に乗せるためのヒントがもう少しあれば、私と同じように「人生が好転した」と喜べたはずなのです……。

そこで**「挫折する前の自分が読みたかった〝Ｗｅｂライターの攻略本〟を作ろう」**と思い立ち、自身が躓いた段階を洗い出して、どのように失敗と成功を重ねてきたのか振り返りまとめていきました。

そのうえで可能な限り無駄を省き、**「忠実にマネをすれば高収入を実現できるノウハウ」**になることを意識しました。

結果として、未経験者から、既にＷｅｂライターを始めたけれど苦戦している方まで、まるっと拾い上げる内容になっています。

最終的には、どんな人でも月収50～１００万円のラインを目指せるように設定しました。ぜひ、Ｗｅｂライターのキャリアを順当に進め、最短で駆け上がるためのコンパスとしてご活用ください。

ここで少し、私自身のことをお話しさせてください。

私がWebライターになったキッカケは、自身の人生に対する絶望でした。専門学校を卒業して美容師として働いていた私は「吃音症《きつおんしょう》という言語疾患」と「フルタイム勤務でも月収10万円」という、2つの問題を抱えていました。

1つ目は、美容師に就いた当初から、吃音症のせいで接客や電話対応をうまくこなせなかったことです。

美容師だった母にあこがれて同じ仕事に就いたものの、店長や先輩に毎日「ちゃんと話せ」と叱られる日々が1年、2年と続き、心は疲弊していました。

もう1つの問題は、給料の少なさです。

実家暮らしであったため、当初は月10万円の給料を、十分な金額だと納得していました。

しかし、事情が変わりました。美容師3年目の頃に、人生で初めての恋人ができたのです。彼女と話しているときは、不思議と自身が吃音症であることが気にならず、心の底から楽しく会話できる唯一の異性でした。

その後、同棲することになって、私は低収入であることの問題に気づきます。月10万円では最低限の生活を維持するのがやっとで、外食や小旅行などささやかな非日常を体験したり、将来のために貯金したりといった行為は、ほぼ無理……。

そして、「生きるので精一杯の現状を変えなきゃ」と感じ、始めた副業が、過去に一度やったことのあるWebライターだったのです。

一度目にWebライターをやったときは、クラウドソーシングと呼ばれるサービスを利用して100文字ほどの文章を書いていました。報酬額は数円〜数十円程度で、正直全然お金にならなかったことを覚えています。

ただ、ネットを見ると副業でも月5万円くらいは稼げるとのこと。

「前回はタイミングが悪かっただけで、今始めれば私も5万円稼げるのでは……」と二度目のチャレンジ。

結論から言うと、まったく稼げずに挫折しました。

「やはりWebライターは稼げない」と、キャバクラスタッフのアルバイトや、冷凍庫で作業をする工場のバイトを始め、美容師と掛け持ちする日々を続けたのです。

そんな肉体酷使と睡眠不足の毎日を終わらせてくれたのは、私が二度も挫折しているＷｅｂライターの仕事でした。

なぜ、懲りずに三度目の挑戦をしたのか……。

それは、ネットサーフィンをしているときに見つけた１つの記事。「夫が病気になり、妻がライターとして家計を支えている」という内容で、妻は全くの初心者からスタートし、５年ほどで年収が８００万円になったとのこと。

「すごい！」と、改めてＷｅｂライターの仕事に、魅力を感じたのがキッカケでした。

同時に、記事に書かれていた「参考にできるものは何でも読みあさった」という一文が、私の心に引っかかりました。

それまで、私はＷｅｂライターで稼ぎたいと言いつつ、何か知識を得ようと必死に勉強した経験がありませんでした。

挫折を乗り越えて**軌道に乗せるカギは、「知らないことは徹底的に調べる」という学びの姿勢**ではないかと気づかされたのです。

そして、三度目の挑戦は軌道に乗り、Ｗｅｂライターの仕事へさらに集中するため、美容師を退職。**独立して４カ月目で月収50万円、９カ月目には、月収１００万円を達成**しました。

この時点で、ライティング講座や有料セミナーに参加したことはありません。書籍とインターネットの情報、仕事を通じていただいた指摘をもとに、能力を伸ばしてきたため、**スキルゼロでも独学で高収入を実現することは可能**だと考えています。

また、独立後は収入だけでなく、仕事を通じてクライアント（ライティングの発注者）の集客力や売上アップを達成し、関わる人に貢献したという経験も得られました。吃音症が邪魔をして、人に喜んでもらえる仕事はできないと思っていた私にとって、この貴重な体験は財産となっています。

昨今、現状への不満や将来への不安があり、未経験からＷｅｂライターに挑戦しようとする方を見る機会が増えてきました。少しでも生活を良くしようと、勇気を出して行動を起こすことを、私は素晴らしいと思います。

以前の自分と重なる部分もあり、つい、「頑張ってください」と声をかけたくなるほどです。

一方で、私のように何度挑戦しても軌道に乗らず、挫折するケースはかなり多いものと予想しています。書いても書いても、雀の涙ほどしか報酬を得られないもどかしさは、私自身がよくわかっています。

だからこそ本書は、新しい道へと一歩踏み出そうとする勇気ある方の、転ばぬ先の杖となるように書き上げました。

二度の挫折を経験した私だからこそ、教えられることがあるはずです。

挫折の悔しさから生まれた本書を通じて、皆さんと「文章を書いて収入を得る楽しさ」「感謝の言葉をいただく喜び」を分かち合えると幸いです。

藤原　将

「文章起業」で月100万円を稼ぐ！　目次

第2章

月収15万円を稼ぐ

副業・専業レベル

第3章

月収50~100万円を稼ぐ

専業レベル

DTP:一企画　図表:小松学(ZUGA)

序章

Webライターで稼ぐ人になる

稼げるＷｅｂライターは、こうしてスタートしている

私がＷｅｂライターとして活動をスタートし、ＳＮＳを活用するようになってから、さまざまな境遇からＷｅｂライターに挑戦する人を見てきました。

また、Ｗｅｂライターになるためのノウハウを教えていることもあり、マンツーマンで「なぜＷｅｂライターを始めたいのか」を聞く機会もあります。

ポジティブな動機により挑戦する人もいれば、ネガティブな理由から挑戦する人もおり、三者三様です。

ここでは、私が印象的だと感じたケースを次の２つに大別してご紹介します。

■ 仕事を続けられなくなって退職し、Ｗｅｂライターを始めたケース
■ 本業の知識を活かしてＷｅｂライターを始め、軌道に乗ったケース

単に「こういうケースがある」と述べるにとどまらず、ケース別に、成果を出す糸口の見つけ方について解説します。

――仕事を続けられなくなって退職したケース

人間関係の悪化によって職場に居場所がなくなり、精神的に追い詰められて退職したという方が一定数います。

あるいは、勤務先が経済的に苦しくなって給与が減った、解雇された等の理由により、自宅でも稼げる仕事を探してＷｅｂライターにたどり着く方もいます。

特に前者は「あのような職場には戻りたくない」「当面は人と関わりたくない」といった強烈なマイナスの感情があり、それでいて「生活費は稼がなければならない」

と厳しい前提条件があるためか、粘り強い方が多い印象です。

いずれにせよ、不本意ながら仕事を続けられずに退職し、次の選択肢としてWebライターを検討するケースにおいて、最優先事項は2つです。

①「最低限の勉強を行い、実際に仕事をとって実践してみる」
②「タイムリミットを把握して、生活水準を見直す」

無駄な行動や時間のかかる戦略を取っている余裕はないため、自ずとやることはシンプルになります。

私が見てきたこと、相談者に行ってきたアドバイスを交えつつ、もしも私自身が同じ境遇に陥ったらどうするか想像し、具体的な道筋を考えました。

①最低限の勉強を行い、実際に仕事をとって実践してみる

未経験の分野に挑戦するとき、十分に準備をしようと勉強へ時間を費やしてしまうものですが、実践に勝る学びはありません。

急いで最低限の知識を叩き込み、**不足部分は実際に手を動かしながら学ぶ**くらいの覚悟で臨むことを推奨します。

こう言うと、多方から「仕事にもっと責任を持て。その助言が失敗を招いたらどうする」と指摘されることもあります。

しかし、十分な準備ができるまで挑戦しない人のなかに、大きな成果をあげられる人はいるでしょうか？

私と同じくらい、あるいはそれ以上の収入を得ている人は、例外なく勇気のある人です。

数年前はＷｅｂライターに関する体系的なノウハウが少なかったこともあり、皆手探り状態で実践を通して学んできたと言います。

独立後、私に相談してくださった方々にも、正直に「いくら準備期間を続けても、実践しなければ成果はあがらない」とお話ししてきました。

とはいえ、何も知らないまま挑戦する怖さや、どこまでが最低限の知識なのかわからない不安な気持ちも理解できます。

本書を書いた背景には、これから挑戦する方へ**「これさえ読んでおけば、あとは実践に移っても大丈夫です」**と言って渡したいという想いもありました。

もちろん、本書には含まれていない高等な技術も多くありますが、それらは実践を通じて学ばなければ理解できないテクニックばかりです。

未経験から実践し、大失敗しないための知識は本書にまとめているので、本書によく目を通していただいたあとは、安心して実践に移っていただければと思います。

② タイムリミットを把握して、生活水準を見直す

転職のあてがないまま退職した場合、今ある貯金で生活費をまかなえる月数が、Webライターに挑戦することを許される期間です。

Webライターを始めて1カ月後に、生活費をまかなえるほど稼げる見込みは薄いですが、半年あればギリギリ生活費を稼げる水準になっているかもしれません。

Webライターの活動に投じる時間が増えるほど、知識や経験値が蓄積されて「Webライターとして稼ぐ」という感覚が培われるからです。

ですから、**タイムリミットを迎えるまでの時間が長いほど、成果が出る可能性は高まります。**

先ほど、粘り強さが大事だと言いましたが、精神面だけではなく、経済面でも粘り強さが重要なのです。

仕事を続けられなくなって退職にいたった場合、貯蓄をもとに何カ月生活できるのか、**どれほど生活水準を落とせるのか**考えてみてください。復職しなくても生きていける期間がわかると、行き過ぎた悲観や楽観がなくなります。

なかなか成果に結び付かないとき、冷静に「あとこれくらいの期間が残されているから大丈夫」と考えられるのです。

冷静さを欠くと、物事はうまく進みません。

また、タイムリミットを伸ばすため、退職後に**必要のなくなった支出を削り、生活水準を見直す**こともおすすめします。

本業の知識を活かしてＷｅｂライターを始めたケース

「失職対策のために副業を始めたい」「副収入を増やして生活を楽にしたい」といった思いからＷｅｂライターに挑戦する人のうち、危うげなく軌道に乗ったケースも見てきました。

羨ましいくらい、とんとん拍子に収入を伸ばしていった彼・彼女らに共通するポイントは、**本業の知識を武器にしていた**ことです。

第1章でも、自分の経歴をもとにした仕事探しが有効であることをお伝えしますが、ここでは本業の知識を活かすことで有利にＷｅｂライターの活動を軌道に乗せられる理由について解説します。

正社員でも契約社員でも、アルバイトやパートであっても幅広く応用できるので、本業を収入の軸にしつつ、Webライターに挑戦するのなら、頭の片隅に置いていただきたい考え方です。

―― 企業は自社メディアの分野に詳しい人を求めている

今、Webライターを欲しているメディアは多く、ファッションや金融、スポーツや子育てなど、あらゆる分野の書き手が求められています。

そして、多くのメディア運営者は「自社メディアの分野に詳しい人をライターとして迎えたい」と考えているため、その分野の就業経験があると優遇される傾向にあります。

- フィットネスジムの勤務経験を活かして、トレーニングの記事を書く
- 不動産会社の勤務経験を活かして、不動産市況の記事を書く
- 看護師経験を活かして、看護師の転職について記事を書く

たとえば、フィットネスジムの勤務経験がある人とない人では、「私はトレーニングについての知識があります」とアピールしたときの説得力が違いますよね。

メディア運営者はお金を払って記事制作を任せるわけですから、**少しでもクオリティの高い記事を書いてくれそうなＷｅｂライターを選びます。**

この状況を利用して「本業の経験を活かして記事制作ができます」とアピールできれば、仕事獲得の難度は下がるのです。

実際に私の周りでも、本業の経験を活かして好条件のライティング案件を獲得し、Ｗｅｂライターの活動が軌道に乗ったために**「勢いのまま独立した」**というエピソードをいくつも耳にします。

塗装業の経験を活かして外壁塗装の記事制作に携わったり、カジノディーラーの経験を活かしてオンラインカジノの記事制作に携わったりするケースもあります。

私は本職であった美容師の知識を活かす機会がないまま、ほとんどの記事制作を知識ゼロから始めました。

美容師に関連する記事制作と巡り合わなかったからなのですが、そもそも本業の知識を活かしてWebライターを始めるといった考え方にいたらなかったのです。

もしも、初めから「美容師の知識を活かせそうな仕事を探そう」と考えて挑戦していたら、もう少し早くWebライターの活動が軌道に乗っていたかもしれません。

―― 勤務経験がなければ軌道に乗らないわけではない

ここまでを読んで「私の勤務経験はあまり役に立たなさそうだ」と思う方もいるはずです。

しかし、落胆する必要はありません。

「はじめに」でも簡単に触れましたが、本書は**スキルゼロでも独学で最短ルートを辿れる**よう考えて執筆しました。

環境が恵まれていてスタートダッシュしやすい人だけでなく、**環境に恵まれていなくてもスタートダッシュができる**よう、**できる限り万人が同じ土俵へ立てる**ように作っています。

そもそも、私自身が本業を活かしたスタートダッシュを実践できなかったため、本書は**「本業の知識を活かせなくても〝過去の私が羨むくらい〟とんとん拍子に収入を伸ばせる」**ように情報を盛り込んでいます。

理想的な戦略は三者三様です。

他人を見て焦るのではなく、自分にとっての最短ルートにのみ集中していけば、あなたの「文章起業」は成功するはずです。

副業レベル

第1章

月収5万円を稼ぐ

本章では、あなたにＷｅｂライティングで月に5万円を稼ぐためのスキルを習得していただきます。

本章で紹介するスキルと、それを実践する時間を確保できれば、本業のかたわら副業Ｗｅｂライターとして稼ぐことは、実はそう難しくありません。

もう1つだけ加えるとするならば、「受けた仕事は最後までやり切る」という気合いだけです。

ただし、全くの未経験の段階では、副業として月に5万円を稼ぐイメージをなかなか持てません。ゴールが遠すぎて見えず、現実感がないのです。

ですから、最初は「月に5万円稼ぐ」を因数分解して、小さな目標を小刻みに立てていきましょう。それでは、カリキュラムを進めていきます。

Webライターの仕事のメリット

身近にWebライターとして働く人がいない場合、Webライターは具体的に何をする人なのかわからないものです。多分に漏れず、過去の私もその1人でした。第1章では、Webライターの仕事がどのようなものなのかを理解していただくため、仕事内容について簡単に触れていきます。

はじめにでも触れたように、私には吃音症《きつおんしょう》という言語疾患があり、これと同時に、Webライターになる前は、本業の収入が低いことにも悩まされていました。

「このままでは苦しすぎる人生だ」と思いつつ、藁にもすがる思いで飛びついたのが、Ｗｅｂライターの仕事でした。この仕事が、私の人生を変えました。

内職のような感覚でスキマ時間に始めたＷｅｂライターの仕事は、こんなにも多くのメリットを持っていたのです。

■人に会うこと、話すことを強制されない
■勤め先に依存せず、自力でお金を稼げる
■都合の良い場所や時間を選択して働ける
■嫌な上司や先輩がおらず、一人で働ける
■やり方次第で「稼げるビジネス」になる
■学歴や資格、高額なツールを必要としない

メリットを挙げ始めるとキリがないため、このあたりにとどめておきましょう。

Ｗｅｂライターを始めたとき、私は「生きるために稼ぐこと」に必死であったため、Ｗｅｂライターの仕事にこれほどのメリットがあることを知りませんでした。

月に１０００円でも２０００円でも、収入を増やせたらそれで良かったのですが、

Ｗｅｂライターとしての活動を続けるうちに、思いがけず多くのメリットがあると気づきました。

さらに、その当時の私にとって、フリーのＷｅｂライターで、毎月20～30万円以上をコンスタントに稼いでいる人がいるということは、大きなモチベーションになりました。

文章を書くだけで今以上に稼げるのだと希望を持てたのです。

私の最終学歴は美容専門学校卒。就業歴は美容師（2店舗経験）といくつかのアルバイト。資格は美容師免許と自動車運転免許のみです。

お客さんに似合うショートカットがうまいこと以外、何のスキルも特技もなく、ビジネスのビの字も知らないような人間でした。

そんな、下の下から這い上がってきた私だからこそ、あなたにＷｅｂライターの仕事について、ゼロからみっちり解説できると思っています。

Webライターの主な仕事内容

実のところ、Webライターと一口に言っても、その仕事は多岐にわたり、私もすべてのタイプの仕事に携わったわけではありません。

ただし、世の中にある仕事のうち、**大半のWebライターは「SEO記事の制作」からスタートする**こととなります。

「SEO記事って何?」とハテナが浮かぶところですが、まずはWebライターが担うこととなる、主な5つの仕事を簡単に解説していきましょう。

① SEO記事

ネット上に公開する集客用の記事を作る仕事です。

多くの企業がWebライターを雇ってSEO記事を量産しているため、Webライターの仕事として最も多い仕事だと言えます。

そのため、本書はSEO記事の制作を中心に収入を得るための知識を共有していきます。SEO記事が何を指す言葉なのか、詳しくは後ほどご説明します。

② 製品紹介ページ

企業から「〇〇という商品（あるいはサービス）を紹介して、見た人が買いたくなるページを作ってくれ」と言われて受ける仕事です。これはランディングページ（LP）とも呼ばれており、1案件あたりの報酬額は高い傾向にあります。

ただし、**セールスライティング・コピーライティングといった、心理学にもとづいた人の心をぐいぐいと動かす文章スキルが必要**です。求められる専門性が高いため、未経験からいきなり受注するタイプの仕事ではありません。

③ YouTubeの演者が読み上げる台本

YouTube投稿者のシナリオライターとして裏側でコンテンツを作る仕事です。

２０１９年頃に増え始めた印象で、今後も案件数は増加し続けると予想されます。

ただし、依然として案件数はＳＥＯ記事の制作が圧倒しているため、安定収入を得るためにはまずＳＥＯ記事の制作から携わることをおすすめします。

④ 電子書籍（Kindleなど）

電子書籍の制作は、著者の伝えたいことを著者の代わりに執筆し、一冊にまとめる仕事です。これは、数万〜数十万字程度のまとまった文章量を書かなければならず、また著者へのヒアリング能力と、取材を行った内容をまとめる技術が必要になります。

そのため、求められるスキルレベルはやや高めです。

⑤ ＳＮＳ投稿

ＳＮＳ投稿の制作は、TwitterやFacebookなどＳＮＳに載せる文章を、アカウント運用者の代わりに書く仕事です。極めて低い単価の依頼もあれば、月数万円ほどの継続報酬を受けられる依頼もあり、報酬額はピンキリです。

前述したように、Webライターの市場にもっとも多く供給される仕事は、SEO記事の制作です。

私は、本書の執筆時点で6年のWebライター歴があり、基本的には「来る仕事拒まず」の姿勢でいます。

ですが、依頼される仕事の9割はSEO記事の制作、その他の仕事は1割です。SEO記事制作ではない仕事と遭遇する確率は低く、おそらく能動的に「こんな仕事がしたい」と言って行動しなければ巡り合いづらいのだと感じます。

そのため、Webライターとしてのキャリアを進むなら、まずはSEO記事の制作について理解を深めましょう。

「SEO」とは何か？

SEOは、検索エンジン最適化（Search Engine Optimization）と呼ばれる施策の略称。簡単に言うと、書いた記事をネット検索の1ページ目に表示させるための方法です。

世界最大のネット検索の仕組みを構築しているGoogleの理念によると、ネット検索の上位には、多くの人にとって有用なコンテンツが表示されることとなっています。

要するに**「役立つコンテンツを作ってネット検索の1ページ目に表示させよう」という取り組みがSEO**なのです。

しかし、どうして事業者は大勢のWebライターにお金を払い、SEO記事を量産しているのでしょうか？

普段、ネット検索を利用するとき、どのような記事から目を通すのかを思い返してみてください。多くの場合、表示された検索結果の上のほうから、興味を引くタイトルの記事を探して目を通すはずです（39ページ図参照）。

大抵の場合、上から1～3番目に表示されるコンテンツは「広告」で、これはSEOにより上位表示されているコンテンツではありません。お金を支払って広告枠を購入しています。

一方、広告表記のない4番目以降のコンテンツは、広告枠を購入せずに上位表示されているページです。

普段、ネット検索をするとき、あなたは1ページ目に表示された記事を上のほうから開くのではないでしょうか？

1～3位の広告ページをクリックするか否かは、ユーザーの性格に左右されますが、いずれにせよ上のほうから順番に見ていく場合が多いと思います。

事実、検索結果の下のほうに行くほどユーザーが記事を開く可能性は低下し、検索結果の2ページ目に表示される記事は1ページ目に比べてほとんど読まれません。

8000万を超えるキーワードと数十億の検索結果を分析したSISTRIX社の資料（2020年7月公開）によると、検索結果の1ページ目の1位に表示されているコンテンツと、10位に表示されているコンテンツではCTR（クリックされる確率）に10倍以上の差があり、1位と2位の間にすら、12・8%のポイント差があります。

ここまでの解説における重要なポイントは、**「検索結果の上位ほどたくさんの人の目に入り、順位が落ちるほどクリックされない（読まれない）」**ということです。

広告表記のあるコンテンツは、検索結果の1位や2位をお金で買っています。広告の購入者は、上位表示のためにお金を払うかわりに、掲載しているコンテンツをたくさんの人に見てもらえる機会を得ているのです。

しかし、先ほど見た4位以降のコンテンツのように、広告枠を買わずに上位表示していたらどうでしょう？　広告出稿にかかるお金を払うことなく、たくさんの人に見てもらう機会を得られます。

つまり、SEO記事を作成して上位表示を達成することで、その記事自体が「無料

Webライター
検索
広告
ライターに依頼をするなら○○○○!
日本最大規模のお仕事サイト
広告
Webライターネットワーク&
プロの専門ライターに依頼をするなら!
広告
最速でライターになる!!
在宅でスキマ時間にいつでもお仕事
広告
Webライターってどんなお仕事?
Webライターのお仕事検索
未経験でもWebライターになれる!
必要な技術を紹介
広告ではない
コンテンツ

の広告塔」として役割を果たすのです。

企業は、無料の広告塔を作って何をしようとしているのでしょうか。オフラインの世界のなかで、広告がたくさん張り付けてある場所を思い浮かべてください。

電車や駅構内、バスの車内、雑誌、人がたくさん集まる場所には、必ずと言って良いほど広告がありますよね。

なぜなら、人が集まる場所に「この商品・サービスは良いよ」といった広告を出すと、商品やサービスがみんなに認知されて売れるからです。たくさん人の集まる場所に広告が貼られている現象には、こうした事情があるのです。

上位表示したＳＥＯ記事も、理屈的には電車や駅構内と同じ「たくさんの人に見られる場所」であり、要するに「商品やサービスを売りやすい場所」だと言えます。

この特性を利用して何らかの商品を売りたいと考える人が、ネット検索の上位を獲得するためにＷｅｂライターへＳＥＯ記事の制作を依頼しているのです。

SEO記事は、その他の記事と何が違う？

SEO記事について理解するためには、SEO記事が普通の記事と比べてどう違うのか知る必要があります。

ネット上には、世間に物申すようなスタンスで書かれた記事や誰かの日記がたくさんありますよね？

これらの記事とSEO記事を比べたとき、異なる点は主に3つあります。

① 誰に読ませるのかが明確である

② 何を解決するのかが明確である

③「どのように読者が検索するのか」を考慮している

世情に対して自身の考えを語っている記事や、日常を記録するための日記とは異なり、SEO記事は「誰のどんな悩みを解決するのか」を練ったうえで書かれています。たとえば、「沖縄旅行に格安で行きました」と報告するだけの記事は、誰の悩みも解決できません。大勢の役に立つことはないため、上位表示はしないでしょう。

しかし、費用を抑えて沖縄旅行へ行きたい人に向けて「沖縄旅行に格安で行くための具体的な方法」を記事にすれば、その方法を知りたい人にとって大いに役立つコンテンツになります。

大前提として、SEO記事は後者の「ある情報を知りたい人の助けになるコンテンツ」であることが必須です。

くわえて、SEO記事は「どのように読者が検索するのか」を考慮しなければなりません。多くの場合、ネット検索を利用するとき、ユーザーは次のカッコ内にあるような言葉を検索窓に書き入れます。

■ カップルが沖縄旅行へ安く行く方法を探す↓「沖縄旅行／格安／カップル」
■ すぐにできる夕飯レシピを探す↓「すぐ作れる／夕飯」
■ ドラム式洗濯機の最新情報を探す↓「洗濯機／おすすめ／２０ＸＸ年」

箇条書きのカッコ内のキーワードがネット検索時に使われる言葉、つまり「どのように読者が検索するのか」に該当する部分です。検索に使われるキーワード（重要な言葉）であるため、業界では**検索キーワード**と呼ばれています。

まとめると「誰の何を解決するのか」が明確であり、くわえて「どのように読者が検索するのか」を考慮して検索キーワードが設定されたものがＳＥＯ記事です。

SEO記事の基本的な構造について

SEO記事の基本的な構造についてご説明します。Webにある記事の型は、メディアの方針によりさまざまであるものの、このような構成となっているケースが一般的です（45ページ図参照）。

①タイトル

まず1番は記事のタイトル（主題）です。

読者がネット検索をするとき、記事を読むか否かの判断は「検索結果に表示されるタイトルを見て、抱いた関心の大きさ」に左右されます。基本的には、検索キーワー

Webライターの営業マニュアル「月収100万円を稼ぐ4つの視点」 ①

「あなたに任せたい」と言わせる
Webライターの営業マニュアル ②

Webライターとして収入を伸ばしたいにもかかわらず、スキルばかりを意識して
「営業」に重きを置いていないケースが多々あります。

しかし、どれほどスキルが高かったとしても、営業力がなければ宝の持ち腐れ。

営業力を鍛えない限り、稼げるようにはなりません。

そこで今回は、Webライターとして生計を立てている僕が、どのように営業を行っているのかご説明します。

僕が月収100万円を達成した方法、このブログで大公開していきます。 ③

目 次

01 新規案件を獲得する営業テクニック
02 長期リピートしてもらえる営業テクニック
03 労働単価を高める営業テクニック
04 上手くいかないときは「休むも営業」 ④

新規案件を獲得する営業テクニック ⑤

「仕事をください」は
営業時に送ってはいけないメール ⑥

Webライターが、新規案件を獲得するうえで大切なポイントは4つです。

- □ 読まれる提案文・営業メールを書く
- □ ツイッターを始めて受発注の媒体にする
- □ クラウドソーシング登録&裏ワザを使う
- □ ブログを始めて見込み客を集める

この4つに力を入れていけば、仕事がなくなることは“ほぼ”ありません。 ⑦

ドをタイトルへ入れることとなっており、タイトルは発注者自身が作成する場合もあればWebライターが作成する場合もある部分です。Webライターであれば、タイトルを書けるようになっておいたほうが良いため、書き方は後述します。

②アイキャッチ画像

2番目はアイキャッチ画像と呼ばれるものです。

ブログ記事の顔となるパーツで、SNSに投稿されたときやホームページの記事一覧を表示したときにあらわれます。メディアによって、文字のない画像だったり文字の入った画像だったり、あるいはイラストレーターに作成してもらったオリジナルイラストだったりします。

Webライターによる自作を求められることはごく稀ですが、文字のない画像を無料サービスからダウンロードして記事と一緒に発注者へ納品するケースもあります。

③リード文（導入文）

3番目はリード文（導入文）と呼ばれる部分です。タイトルやアイキャッチ画像のすぐ下に表示されるため、読者が最初に読む可能性の高いセクションです。リード文を読んだ段階で、読者が「この記事は私の悩みを解決してくれなさそうだ」と感じれば、そのあとの文章は読まれなくなります。Ｗｅｂライターが書く部分ですし、記事の本文と同じくらいに重要な役割を担うため、リード文の構成はのちほど詳しく解説します。

④ 目次

４番目は目次です。本文の各セクションに付けられる見出し（各章の題）を抜き出したものであり、書籍の目次と同じようにコンテンツの案内図として機能します。

⑤ 見出し

５番目は見出しです。記事にある各章のテーマを簡潔に示したもので「その章はどのような内容について説明するのか」を読者に伝える役割を持っています。詩的な見出しを付ける必要はなく、読者に「この章にはこういった情報があります」と正確に伝達する役割が求められます。

⑥ 見出し下の画像

6番目は見出し下に配置される画像です。アイキャッチ画像と同じく、文字のない画像だったり文字の入った画像だったり、メディアによってはオリジナルイラストだったりします。活字が詰め込まれた記事の窮屈さを解消するために挿入されるものです。また、見出しの文言にマッチした画像を読者に見せることで、これから触れる内容を暗に伝える役割も持ち合わせています。

⑦ 本文

7番目から、いよいよ本文が始まります。メインのコンテンツであり、読者へ詳しく情報を伝えるセクションです。

文章をつらつらと書いていくだけでなく、箇条書きや図表を交えて情報を展開することで、可読性（読みやすさ）の高いコンテンツへ仕上げられます。

Ｗｅｂ記事の多くは、見出しのテーマを語り終えたのち新たな見出しが展開されて「見出し↓見出し下の画像↓本文↓次の見出し↓見出し下の画像↓本文」といった流れで進んでいきます。

SEO記事のうち、もっとも重要な部分は本文です。ですが、検索結果に表示されたほかの記事よりもタイトルが読者の興味を引くものであり、かつリード文（記事の導入部分）が本文に対する期待を膨らませるものでなければ、そもそも本文は読まれません。

読者の悩みをすべて解決できるだけの情報が盛り込まれていても、始まりの文章が粗末であれば誰の役にも立たない記事になってしまうのです。

そうなることを回避するための、Webライターの武器となる文章力の基礎訓練、魅力的なタイトルやリード文を作るための方法について、次の項目から解説していきます。

Webライターに求められる文章力

「正しく伝えられる」ことと「わかりやすく読みやすい」こと、これら2つがWebライターに求められる文章力の正体です。

いずれも才能は必要なく、**意識と訓練により身につけられます。**

書くことを仕事にする以上、常に文章力アップを目指して腕を磨き続けることを信条とすべきですが、ひとまず本章で解説するポイントさえ意識すれば「このライターは文章が読みやすい」と言われるレベルまで到達できます。

まずは記事のタイトルやリード文（記事の導入部分）、記事の本文などあらゆる「文章を書くとき」に意識すべき基礎的なポイントを学んでいきましょう。

読みやすい文章を作るための10のルール

作家のように気の利いた文章を書く必要はありません。その代わりに、できる限りわかりやすく具体的な文章が求められます。わかりやすく具体的な文章は、違う言葉に直すと「理解に大きなエネルギーを必要としない文章」とも定義できるでしょう。そして、読者が少ないエネルギーでスイスイと読める文章を作るには、10のルールを意識する必要があります。

ルール① 主語・述語・修飾語を使い、明確に説明する

ルール② 意味の切れ目に読点を打つ

ルール③　長文は主語と述語を近づける
ルール④　一文に入れるメッセージは1つ
ルール⑤　並列の要素は箇条書きにする
ルール⑥　同語反復を避ける
ルール⑦　文末のバリエーションに配慮する
ルール⑧　回りくどい表現を避ける
ルール⑨　こまめに改行する
ルール⑩　一文の長さは40〜60字、長くても100字前後に収める

それぞれ、順番にご説明します。

ルール①　主語・述語・修飾語を使い、明確に説明する

相手に何かを伝えるとき、主語と述語が明確であるか否かは「メッセージの伝わりやすさ」に大きな影響を与えます。さっそく、主語と述語の使い方について確認していきましょう。

■主語（何が・誰が）
■述語（どんなだ・何をした）
■修飾語（主語・述語を詳しくする）

田中さんが、青いファイルを取った。

この文章の主語は「田中さんが」となり「取った」が述語に該当します。何を取ったのか詳しく表す「青いファイルを」は修飾語です。この一文は、主語と述語が明確であり、修飾語によってどのような状況になっているのか具体的に解説できています。

一方、これはどうでしょうか。

青いファイルを取った。

田中さんが取った。

「青いファイルを取った」では、誰が青いファイルを取ったのかわかりません。後者の「田中さんが取った」も主語と述語はあるため意味は通りますが、この一文では何を取ったのかわからず状況を思い浮かべられません。

話し言葉であれば、身振り手振りや会話の流れから多少足りない説明でも通じますが、インターネット上の記事ではそうはいきません。

ボディーランゲージを使えないことはもちろん、読者は記事を飛ばしつつ読んでいるため、前後の文脈をくみ取ってくれない前提で書く必要があるのです。

そのため、Ｗｅｂライターには、どの場所から読んでも読者に正しく情報が伝わるよう、主語と述語と修飾語を明確に書き記す心がけが求められます。

ルール②　意味の切れ目に読点を打つ

実は、読点（、）は非常に奥が深いため、活用法すべてをここで解説することはできません。
しかし、おおよそ次のタイミングで使うものと覚えておけば、読みやすい文章を仕上げるには十分です。

読点を打つ主な場所

■「～は、～である」（主語と述語の切れ目）
■「～の際には、～である」（状況の説明）
■「～に比べ、～である」（比べるとき）
■「～だが、～である」（逆説のとき）
■ひらがなが続いて読みづらいとき

また、読点を打つ場所によって文章の意味が変わることもあります。
次の例文を読んでください。

彼は、涙を流しながら震える私の肩を抱いた。
彼は涙を流しながら、震える私の肩を抱いた。

前者の文章はハッキリと「私」が涙を流しているのだとわかりますし、後者の文章は「彼」が涙を流しており「私」が震えているのだとわかるはずです。

一方、この一文に読点がなければ「彼は涙を流しながら震える私の肩を抱いた」となり、涙を流している対象が彼なのか私なのかわからない文章となってしまいます。

読点を打つ場所1つで意味がガラリと変わり、これを怠ると読み手に正しい状況解説ができなくなります。ですから、書き終えた後には必ず読み返し、「意図しない形になっていないか」を確認するよう注意しましょう。

ルール③ 長文は主語と述語を近づける

実は、先ほどの「彼は涙を流しながら震える私の肩を抱いた」という文章は、どこに読点を付けたとしてもあまり読みやすい文章にはなりません。

なぜなら、主語と述語が離れているからです。一文が長くなる場合ほど、主語と述語を近づけるよう意識するだけで文章は各段に読みやすくなります。

つまり、主語の「彼は」と述語の「(私の肩を) 抱いた」を近づけることで、文章は読みやすくなるのです。

極端な話、「彼は、私の肩を抱いた」という一文にすれば、どういった状況なのかわかりやすいですよね? ただし、修飾語を削ってここまで表現を簡素にすると、本来伝えたかったメッセージが伝えきれない懸念もあります。ですから、できる限り「彼は、私の肩を抱いた」に近づけつつ、表現の豊かさを保つ文章に変えてみましょう。

例文の3つは、それぞれ違う状況を示す文章ですが、いずれもどのような状態にあるのかすぐわかるはずです。

涙を流しながら震える私の肩を、彼は抱いた。
震える私の肩を、彼は涙を流しながら抱いた。

彼は、震える私の肩を抱いた。涙を流しながら。

原文の「彼は涙を流しながら震える私の肩を抱いた」を読んだとき、一度では文章の構造がわからず読み返した方も多いはずです。

しかし、これらの3つ挙げた例文であれば、一度読むだけで「誰が・どんなだ」を容易に理解できたのではないでしょうか？

もちろん、繊細な表現が求められる小説では、主語と述語を近づけることで損なわれる筆致とのバランスを考慮すべきですが、SEO記事は小説とは異なり「情報を正しく具体的に伝えること」が重要であるため、おおむねこのような配慮が読み手に評価されます。

ルール④ 一文に入れるメッセージは1つ

一文で伝えるメッセージを1つに絞ることで、文章は各段に読みやすくなります。文章構造が単純になるほど、その構造を読み解くエネルギーが小さくなるからです。

一度に多くのメッセージを伝えようとすれば、次のような文章を書いてしまいます。

交流の輪を広げたり、仕事の受発注ができたり、ツイッターを利用するメリットはたくさんある反面、タイムラインを眺めて時間を浪費したり、他人と比べがちになったり、隠れたデメリットも同じくらい多く潜んでいます。

これほど多くのメッセージを詰め込めば、一文を読み終わる頃に「あれ、最初にどんなことを述べていたかな？」と忘れてしまいます。つまり、メッセージの全容がスッキリと伝わらないのです。

次の文章は、先ほどの一文を分割し、一文あたりのメッセージ量を絞ったものです。

ツイッターを利用するメリットは、大きく2つ挙げられます。交流の輪を広げられることや、仕事の受発注ができることです。

一方、タイムラインを眺めて時間を浪費したり、友人の自慢話を見て自分と比べてしまったりするなど、いくつかのデメリットもあります。


まだ削る余地はあるものの、この程度でも「一文あたりのメッセージを絞る効果」は伝わったのではないでしょうか？

このように一度に伝えることを絞れば、文章は読みやすくなります。

ルール⑤ 並列の要素は箇条書きにする

並列の要素とは、要するに「同じグループ同士の言葉たち」です。

たとえば、次の言葉はフルーツというグループに分類できる並列の要素です。

「りんご・なし・ぶどう・みかん・キウイ・いちご」

これらを文章のなかに組み入れたいとき、次のように一度にそのまま使うと読みづらい文章になってしまいます。

私の好きなフルーツは、りんご・なし・ぶどう・みかん・キウイ・いちごです。

どうでしょうか？　読みづらいですよね。
でも、これを箇条書きに変えることで、一気に読みやすい文章になります。

私の好きなフルーツは、6つあります。
・りんご
・なし
・ぶどう
・みかん

・キウイ
・いちご
これらが、私の好きなフルーツです。

箇条書きではない場合と比較して、ずいぶんと各要素を把握しやすくなっていませんか？　私の場合、並列の要素が3つを超えるあたりから、「ここは箇条書きを使ったほうが読みやすいかな？」と考え始めます。

箇条書きを多用すると稚拙なイメージを与えるため、**同一の段落内では箇条書きのまとまりを1つにとどめる**、あるいは、とくに**並列の要素が多い部分にのみ箇条書きを用いる**など、記事全体に対するバランスを見る必要があります。

その上で、箇条書きは全文の1割以内にとどめるようにしましょう（本書では可読性を重視して箇条書きを多用しています）。

なお、箇条書きを用いるときの注意点として、「並列要素の粒度の違い」が挙げられます。

たとえば、並列の要素「A・B・C・D・E・F」は、すべての要素が粒度の揃った状態だと言えます。

一方で「A・B・C・D－1・E・F－1」のような状態は、粒度がバラついていると判断されるのです。先ほどのフルーツ一覧を例にすると、粒度がバラついた状態はこのように表現できます。


私の好きなフルーツは、6つあります。
・りんご
・なし
・ぶどう
・デコポン
・キウイ
・あまおう

これらが、私の好きなフルーツです。

りんご・なし・ぶどう・キウイは「果物の大まかな種類」である一方、デコポン（みかんの種類）、あまおう（いちごの種類）は「果物の品種」です。

つまり、扱っている要素の詳しさが、途中からずれてしまっているのです。

粒度の違いは、読み手の混乱を招く原因になるため、同じ粒度の要素を並べるよう心がけましょう。

ルール⑥ 同語反復を避ける

ある事柄を述べるときに、堂々巡りとなり、結果的に何の説明にもなっていないことがあります。

それは明らかに確定的です。

減価償却とは、減価を償却することです。
彼以外は、彼ではないからです。

このような表現を同語反復（トートロジー）と言います。同語反復は、文学的な響きを感じる表現であるため、歌詞や小説に使われることがあります。
ただし、機能的には意味のない文章であるため、伝わりやすさが求められる場面で使うべきではないでしょう。

ルール⑦ 文末のバリエーションに配慮する

文末のバリエーションは、文章を書く仕事をしていなければ意識することのない部分でしょう。ですが、読み手に自然と「リズムの良い文章だ」と感じさせることを目指すなら、文末のバリエーションに対する配慮は大切です。同じ文末が複数回連続すると、読者は「この文章は子どもが書いたみたいに稚拙だな」と感じてしまうからです。一例として、次に同じ文末が複数回続いている文章をご紹介します。

今日は快晴です。散歩をすると気持ち良さそうです。
しかし、もうすぐ出勤の時間です。
いっそ、仕事なんてすっぽかして、川近くの公園でさぼりたい気分です。

どこか稚拙なイメージを抱きませんか？　文末に変化をつけなければ、このように表現が単調になって、幼い子どもが書いたような文章になってしまうのです。
次に、先ほどの例文をベースにしつつ、文末に変化を加えた一文をご用意しました。

今日は快晴です。「散歩をすると気持ち良さそうだ」と思いました。
しかし、もうすぐ出勤の時間。
いっそ、仕事なんてすっぽかして、川近くの公園でさぼりたい気分です。

文末にバリエーションを持たせることで、ずいぶんと稚拙な印象が改善されました。
大人びた知的な文章にガラリと変わるので、読みやすい文章を追究する場合は意識してみてください。

最後に、SEO記事で用いることの多い「です・ます調（敬体）」で使える、文末のバリエーションをいくつか列挙しておきます。

■ 〜です
■ 〜ます
■ 〜ません
■ 〜しました
■ 〜ください
■ 〜ましょう
■ 〜とのこと
■ 〜というもの

■ ～しておきます
■ 体言止め（文末を「もうすぐ出勤の時間」のように名詞、代名詞などの体言で終える形）

だ・である調（常体）は、基本的に「～した・～する・～なのだ」といった言い切る形の文末を使います。です・ます調に比べて文末を変えやすく、バリエーションの使い分けに困ることはないため、心配する必要はないでしょう。

ルール⑧ 回りくどい表現を避ける

仕事として文章を書いていると、「自分が書いた文章は正しく伝わるだろうか」と気になるものです。その心配が大きいほど、読み手とのあいだに齟齬が生まれることを恐れて、保身のための言葉を入れがちです。保身のための言葉とは、「○○ではないのですが」とか「もちろん○○の可能性もありますけれど」みたいな、自身の主張に予防線を張るための言葉を指します。

結果として余分な情報が加わり、メッセージは伝わりづらくなるため、主張を曖昧にする保身のための言葉は勇気を持って削っていきましょう。

ルール⑨ こまめに改行する

インターネット上に公開される記事は、スマートフォンを使って読まれる割合が高い傾向にあります。

私が運営しているブログ（「藤原将軍」）では、パソコン27・1％、スマートフォン70・9％、タブレット2と、パソコンよりスマートフォンのほうが閲覧比率は高くなっています。

そして、皆さんもご存知の通り、スマートフォンはパソコンに比べて画面サイズが小さく、横書きの場合は文章の折り返しが頻繁に起こります。折り返しが起こることで一段落が縦に長くなってしまうため、こまめに改行しなければ読みづらくなってしまうのです。

改行の頻度は、メディアによってそれぞれ傾向があるものの、100〜200字ごとに一度改行を入れるケースが多いように感じます。記事を書いている最中に意識するというより、記事が仕上がったあとに改行の位置と頻度を見直し、縦にずらっと長い段落となっている場所へ改行を入れることをおすすめします。

ルール⑩ 一文の長さは40～60字、長くても100字前後に収める

諸説あるものの、Webライティングでは「一文の長さを40～60字程度にすると良い」と言われています。一文が長くなるほど、文章構造の理解に求められるエネルギーは大きくなり、読者に負担をかけてしまうからです。

読者視点で言うなら「読み下しにかかるコストが大きい記事」になってしまうのです。まずは、適切な長さだとされる40～60字に収めた一文をご紹介します。

私の得意分野は、デジタルマーケティングです。とくに、SEO（検索エンジン最適化）に精通しており、SEO検定1級を取得しています。これまで多数の企業さまと取引し、集客力を高めて商品成約に導いた経験を生かして、ビジネスを加速させるお手伝いをいたします。

次に、Web記事としては長い、一文が109字ある文章を見てみましょう。

私の得意分野はデジタルマーケティングのうち、とくにSEO（検索エンジン最適化）と呼ばれる領域で、SEO検定1級を取得して多数の企業さまと取引してきたため、集客力を高めて商品成約に導いた経験を生かしたサポートができます。

書籍であれば一文がこの程度の長さであることは多いものですが、Web記事としてスマートフォンで読むぶんには多少読みづらい感覚があります。

では、最後にセンテンスを短く切り、一文あたりを18〜34字に抑えた例文をご紹介します。

私の得意分野はデジタルマーケティングです。とくにSEO（検索エンジン最適化）対策に関する知識に精通しています。

私はSEO検定1級を取得しています。これまで多数の企業さまと取引しました。集客力を高めて商品成約に導いた経験を生かせます。ビジネスを加速させるお手伝いをいたします。

いかがでしょうか。一文を長くした際に覚える「読み下しにエネルギーを使うな」といった感覚とは違い、こちらは「稚拙な文章だな」といった印象を受けたのではないでしょうか？　読み手によっては「頭の悪そうな文章だ」と感じるケースもあるでしょう。文体の好みは人それぞれであり、ドンピシャで読者の好みを提供できれば理想であるものの、よくよく考えるとそれは現実的ではありません。

ですから、Web記事を書くときは中間を狙い、一文あたり40～60字程度を意識することが推奨されます。

なお、すべての文章を40～60字に収めなければならないわけではなく、あくまで「大部分の文章は40～60字ほどに収めると良い」程度の意見です。

40〜60字程度が望ましいと言いつつ、実際のライティングでは文章が長くなってしまうケースも多々あります。

もし、上手く話を区切る部分が見つからず、どうしようもなく文章が長くなってしまう場合は、10のルールのうち「長文は主語と述語を近づける」を意識することで読みやすさを向上させられます。

また、一文に込められたメッセージが2つ以上になっていないか確認しましょう。

リード文（導入）の作り方

ネット検索からタイトルを見て記事を開いた読者は、まずページを開いた直後に表示されるリード文を見ることとなります。

読者に「本文を読みたい」と思わせられるか否かを決める重要な部分であるため、書き方をしっかりと覚えていきましょう。

リード文は、3つの段階を順番に展開している型がオーソドックスです。

①読者に「悩み」を認識・再確認させる

②その悩みは「解決可能である」と伝える

①「記事を読んだ未来」をイメージさせる

まず今、書いている記事がどんな悩みを解決するコンテンツなのか、リード文の冒頭で読者に提示します。

そして**「その悩みは解決可能だ」と断言する**ことで、記事を読み進める意味を読み手に与えるのです。

最後に「この記事を読めば○○の状態になれる」と伝えて**読者にポジティブな未来を見せる**と、さらに強力な動機付けとなります。

これら3つの段階で使用できる、具体的な文章の例をご用意しました。

① 読者に「悩み」を認識・再確認させるための文章

悩みを的確に言い当てると、読者の記事に対する期待感は一気に高まります。

ですから、適当に書くのではなく、画面の向こうにいる悩める読者をじっくりイメージしてみてください。

・（あなたは）○○で悩んでいませんか？
・○○をご存知でしょうか？　実は、○○は近年問題になっており……

こうして読者の悩みをイメージし、それを文章に落とし込めば、導入文の3分の1は完成です。

②その悩みは「解決可能である」と伝える

悩みを言語化し、さらにその悩みは「この記事で解決できる」と伝えることで、読者は記事を読む理由が明確になります。

・この方法を使って、多くの人が○○を解決しています
・僕は、これから解説する手順をもちいて○○できました

ここで「今回紹介する方法を使うことで、すでに悩みを解決した事例がある」と示せば、より強く読者を惹きつけられます。

③「記事を読んだ未来」をイメージさせる

悩みが解決可能であることを伝えれば、読者は記事に興味を示します。

ですが、記事を読んでいただく前に、もう一段階モチベーションを高めてもらいたいところ。あなたも「この記事の内容をマスターするぞ！」とモチベーションが高まっているほど、真剣に読みませんか？

ですから、読者をこの状態へ誘導することが重要なのです。

挿入すべき文章は非常にシンプル。「この記事を読めば、あなたは理想を手にできますよ」と、読者が自分に当てはめてイメージできるような一言を付け足してください。

記事を読む表面的なメリットを述べるだけでなく、どういった体験が得られるのかを書くのです。

・本記事の内容をマネするだけで、○○ができます。
・この記事を読み終えると、あなたは○○になっています。

一例として「文章がうまくなるライティング術」というテーマで記事を書くと想定し、リード文の最後の一行を考えてみました。まず、残念な例からご紹介します。

この記事を読んでライティングを学べば、良い記事が書けるようになります。

これでは、イメージできる体験が非常に弱く、記事を読ませる後押しの言葉として機能しません。ですから、もう一歩、読者に生まれ変わった自分の未来を見せる一言をプラスするのです。

この記事を読んでライティングを学べば、多くの読者に「あなたのファンになりました」と言ってもらえるほど、良い記事を書けるようになります。

こちらのほうが、より自分に当てはめて「そんな未来が手に入るなら良いな」とイメージできませんか？

これが「記事を読んだ、その先」を想起させる書き方です。

読者にポジティブな未来を想像させる一言があれば、より深く食い入るように記事を読んでくれます。最初は慣れないかと思いますが、リード文を作る際は意識してください。

導入文に加えると効果を発揮する「リード文＋α」

ここまでにご説明した導入文の書き方を意識すれば、ひとまず本文を読ませるための導入文は書けるようになります。点数にすると、80点のリード文が書けるようになっているのです。

ただし、あと20点はテーマに応じて臨機応変に作る必要があります。

具体的には、こんな一文がプラスαの要素になります。

■「簡単に読めるよ」というアピール

■記事を読まないリスクを強調する一文

■「私もそうでした」と読者と心の距離を近づける

■書き手の権威性（その分野に精通している証明）

これらは、ときに強力なフックとなり読者を惹きつけるものの、全てのケースに使えるものではありません。

たとえば、書いた記事のテーマによっては、手軽さを重視した記事より「しっかり作り込まれているコンテンツ」が読者に求められるケースもあります。

そのような場面では、簡単に読めることをアピールするより**「長いですが、この記事だけ読めば完璧」といったアピールのほうが、読者を惹きつける可能性もある**でしょう。

また、記事を読まないリスクを強調し、読者の不安を煽ることで関心を集める方法は、使い過ぎると読者を不快にさせる諸刃の剣。やたらと不安を煽ってくる、胡散臭い訪問営業マンのようなイメージを与えてしまいます。

このように、一見すると入れたほうが効果的なように思える文章が、実は導入文として相応しくないケースもあるのです。

ですから、導入文を書くときは、常に**「この文章は、この記事の読者にマイナスの印象を与えないだろうか」と問い続ける意識が欠かせません。**

読者が個人ではない場合はさっぱり仕上げる

ここまでに解説したリード文の書き方は、おおむね**個人が読むことを想定したもの**です。読者が個人であるからこそ、読者がどんなことで悩んでいるのか想像し、そこに訴えかけるようなリード文を書くことで関心を惹き付けられます。

しかし、SEO記事の制作では、読者を個人ではなく**「商品購入を検討している法人（企業）」に設定するケースもあります。**

商品購入を検討している法人に向けたリード文は、共感や期待を誘う内容である必要はなく、むしろ記事を読んで解決できる問題を手早く伝えることが重要です。

具体的には、このような型のリード文を用いる場面が大半です。

①いまから紹介する商品が解決する問題を提起
②商品を導入することでもたらされる結果を明示
③再度、この記事が解決する問題を提起

また、商品購入を検討する法人に向けて書いた記事は、その読者自身が決裁者（商品の購入・見送りを決める人）とは限りません。

そのため、誰が読んでも一定以上の関心をひけるように**「感情に訴えかけることにこだわらず、事実をベースにしたロジカルな文章」を意識し、端的に書き進める**ことを推奨します。

本文の作り方

先ほどご説明した10のルールは、あくまで一文の読みやすさを追求するうえで意識するポイントです。

しかし、10のルールを完璧に押さえたからといって、必ずしも「全体が理解しやすく納得感のある記事」になるとは限りません。

本文を書くときには一文の読みやすさはもちろん、記事全体の読みやすさを意識した構造にしなければならないのです。

この課題をクリアするために習得していただきたい、2つのテンプレート（文章の型）をご用意しました。

■ 読者に何かを教えるときは「全体から個別、抽象から具体」を意識

■ 読者に納得させるときは「ＰＲＥＰ法（要点→理由→例示→要点）」を意識

「全体から個別、抽象から具体」は、読者が知らない知識を読者に教えるときに意識してほしい文章の展開方法です。今から具体例を２つご紹介します。

全体から個別、抽象から具体の例１

（これから説明する内容の全体像）今から、Ｗｅｂライティングが上達する２種類のテンプレートについてご説明します。

（個別具体的な解説①）テンプレートの１つ目は〇〇。これは～です。

（個別具体的な解説②）テンプレートの２つ目は〇〇。これは～です。

最初に**これから話すことの全体像を伝え、そのあとに個別具体的な内容に掘り下げて話を進めています。**もう1つの例文も、どのような流れで話を展開しているのか注意して読んでください。

全体から個別、抽象から具体の例②

(これから説明する内容の全体像)筋力トレーニングの種目は、大きく2つに分けられます。

・無酸素運動
・有酸素運動

それぞれ、どのようなものか順番に解説します。

(個別具体的な解説①)無酸素運動とは〜です。

(個別具体的な解説②)有酸素運動とは〜です。

1つ目の例文と同じように全体像から解説が始まり、そのあとに個別具体的な解説へ進んでいる様子が見て取れるはずです。

このように、**これから伝えることの全体像を初めにイメージしてもらう**ことで、そのあとに続く深掘りした話を理解してもらいやすくなります。

対する「PREP法」は、ビジネスシーンで用いられる文章展開の方法で、ビジネス文書の作成やプレゼンテーションの際によく活用されています。

次の4つの要素で構成されており、読者の納得を勝ち取りたいときPREP法は有効です。

①要点（伝えたいこと）
②理由（主張の根拠）
③例示（根拠を実証するサンプルの紹介）
④要点（伝えたいこと）

ＰＲＥＰ法を使えば、読者に伝えたいことを簡潔に伝えられます。読み手に**「この記事は何を言いたいか明確だし、納得感もある」といった印象を与えられる**ため、読み飽きて記事を閉じたり読み飛ばしたりされがちなＷｅｂ記事では、ＰＲＥＰ法をもちいて結論を最初に読ませるケースがよく見られます。

ＰＲＥＰ法を使った例文をご紹介します。

ＰＲＥＰ法（要点→理由→例示→要点）の例１

(要点)「重要な局面で適切な判断ができない」と悩む人ほど、計画を立てることが大切です。

(理由)なぜなら、人はパニックに陥ったとき、計画がなくては冷静な判断を下せないからです。

(例示)たとえば、私たちが地震のとき、素早く出入り口を確保して机の下に隠れるなど「的確な安全行動」を取れるのはどうしてでしょう？

これは、小中学生の頃から、地震発生時を想定して避難訓練を行っており、発災時における一連の対応が〝計画〟として頭に叩き込まれているからです。

（要点）ですから、どんな状況でも「次はこう行動すべきだ」と判断できるよう、事前に計画を立てることをおすすめします。

続けて、もう1つPREP法を意識した文章をご提示します。

PREP法（要点→理由→例示→要点）の例 2

（要点）僕はWebライティングをもちいた情報発信に、やりがいを感じています。

（理由）なぜなら、僕が大好きな〝文章表現〟を通じて、多くの人から「ありがとう」の言葉をいただけるからです。

（例示）とくにやりがいを強く感じるのは、このような言葉で感謝を伝えてもらったときです。

・例の記事、読者から「悩みが解決した」と好評をいただいています
・社内でも「藤原さんの記事は良い」と好評です
(要点) こういった体験を得られるため、僕はＷｅｂライティングをもちいた情報発信にやりがいを感じます。

いずれも、主張とそれに思い至った根拠やエピソードが見えるような例文だったかと思います。

そして、だらだらと話を展開されるより、主張に対して共感・納得しやすい印象を抱いたのではないでしょうか。

読者へわかりやすく何かを教えるときは「全体から個別、抽象から具体」を使い、読者を納得させるときは「ＰＲＥＰ法」を活用して、読者の意識を掴んで離さない文章を書き上げていきましょう。

まとめ文の作り方

記事は、**リード文→本文→まとめ文の流れ**になっています。

まとめ文の役割は、長々と説明した本文の情報を整理し、要点を読者へ伝えることにあります。

記事のボリュームが多くなるほど読者は最初に読んでいた内容を忘れるため、改めて要点を洗い出し「この記事で伝えたいのは○○です」と思い出してもらうのです。

また、読者へ「ここでこの記事は終わりです」と伝える役割も兼ねています。

まとめ文に関しては、とくに正解と呼ばれるものがないものの、一般的に広く使われている形は次のような3ステップにより成り立っています。

①「今回は○○をご説明しました」と締め始める
②記事の要点。伝えたいメッセージを再掲
③読者へアクションプランを提示する

1つ具体例をご用意しました。

まとめ文サンプル

（「今回は○○をご説明しました」と締め始める）今回は、読みやすい文章を作るための10のルールをご説明しました。

（記事の要点。伝えたいメッセージを再掲）慣れるまで、ルールをすべて満たすよう意識することは難しいものの、すべての項目を完璧に押さえると文章は見違えるほど読みやすくなります。

（読者へアクションプランを提示する）10のルールを覚えられるまでは、本記事を記事執筆後の「文章の読みやすさチェックリスト」としてお使いください。

あくまでサンプルは基本形であり、これが必ずしも最良のまとめ文とは限りません。メディアや書き手によって差が出る部分でもあるため、いろいろな型を知るべく「記事のまとめ文をよく見る」という習慣を付けると良いように思います。

──つい間違えてしまう文章集

私たちが普段、ＬＩＮＥや仕事のメールなどで何気なく使っている日本語には、多くの文法的な間違いが含まれています。

私自身は、どのような表現が文法的に誤りなのか自分で調べ、ときに編集者に間違いだと指摘されつつ学んできました。

ですが、ありがちな間違いを最初から把握しておき、完成度の高い原稿を納品する方が、信頼できるWebライターとして、あなたの株も上がるはずです。
ここでは、間違えやすいポイントを紹介します。

「〜たり」は二度繰り返す

「〜たり」は、基本的に「首を回したり、大きく伸びをしたり」のように、**何らかの動作・状態を並べて表すときに重ねて使います。**

なお、Webメディアの基準では「〜たり」は2回以上使うものとして強く認識されていますが、実際には複数の動作・状態を暗に示すい言い回しとして「私は疲れたとき、首を回したりして身体をほぐす」といったふうに使うことも可能です。

それでも、間違いだと指摘される原因になりやすいため、原則として「〜たり」は**2回以上重ねるもの**だと考えておけば良いでしょう。

「〜にかかわらず」は漢字に注意

それ以前に述べたことを否定し、その反対を論じるときに用いる「〜にかかわらず」は、漢字にすると「〜に拘わらず」となります。

つい書いてしまう「〜に関わらず」も誤用ではないとする見方があるものの、新聞記事の多くは漢字を使わず「〜にかかわらず」に直すそうです。

これにならって、Ｗｅｂ記事に「〜関わらず」と書くと間違いだと指摘されるケースは多いため、**基本的にはひらがな表記にすることを推奨します。**

なお、逆接に用いる語句としては「〜にかかわらず（〜に拘わらず）」を正しいとしますが、無関係であること（例：本人の意思に関わらず）を示すときは「〜に関わらず」と漢字書きにしても問題ありません。

このあたりの判断はややこしいため、迷った場合にはどちらもひらがなにするか、表現を変えて「〜に関わらず」ではなく「〜に関係なく」にすると良いでしょう。

形容詞には「〜のです」を使う

私たちは、普段話をするときに「高いです」とか「大きいです」と使います。

しかし、高いとか大きいといった形容詞（状態・性質をあらわし、断定するとき「〜い」で終わる用言）を文末に配するとき、そのまま「〜です」を付けることを禁じるメディアがあります。

主な禁止理由としては、形容詞にそのまま「〜です」を付けた言葉は稚拙な印象を与えるというもの。確かに「丸いです」とか「寒いです」といった表現は、小学生の日記を想起させます。

また、何気なく使っている文末の「〜です」は、だ・である調（常体）の「〜だ」に代わる文末です。簡単に言うと、です・ます調の「高いです・大きいです」は、だ・である調に直すと「高いだ・大きいだ」に相当するのです。不自然ですよね。

この不自然さを解消するなら、それぞれ「高いのだ」と「大きいのだ」に直さなければなりません。

です・ます調に再変換すると「高いのです」や「大きいのです」となり、自然になっていることがわかります。細かな部分ではあるものの**「形容詞＋〜のです」が適切である**と覚えておいたほうが良いでしょう。

同じ意味の言葉を重ねない

日常会話に登場する「まず最初に」「約5分ほど」「日本に来日する」などの言い回しは、同じ意味を重ねた言葉（重ね言葉・重言）と言い、誤用として捉えられます。

それぞれ、次のように言い直すことで重ね言葉を解消できます。

■ まず最初に→最初に、まずは
■ 約5分ほど→約5分、5分ほど
■ 日本に来日する→来日する、日本を訪れる
■ あとで後悔する→後悔する、あとから悔やむ
■ 返信を返す→返信する

ここまでに挙げた間違えやすい文章に比べて、重ね言葉を厳しく禁じているWebメディアは少ない傾向にあるものの、読者に「ん？　この文章おかしくないか」と思わせる文章にしないためにも、重ね言葉は避けるようにしましょう。

より文章力を高める方法

ここまでに解説した点を押さえれば、文章に関して「ここ読みづらいですよ」と言われる機会は、かなり減ります。

ただ、これで文章の勉強は終わったと思わず、引き続き文章力を高めるための習慣を身につけましょう。文章力を追求することは、「人に伝える手段」を増やすことですし、文章の引き出しが増えれば「書き手としての自信」につながるからです。

正しい文章の書き方を学ぶために、私がよくチェックしているのは、**毎日新聞の校閲センターが運営する『毎日ことば』というメディア**です。

同メディアは使い分けの判断に困る日本語、誤って使いがちな日本語を取り上げる教育コンテンツで、正しい日本語を教えてくれるだけでなく言葉の由来や多面的な解釈まで解説してくれます。

たとえば、「海外と外国は同じように使って良いのか」や「レポートとリポートはどちらを使うべきか」といった、調べたことがなかったけれどどうなんだろう……と思うような日本語も拾って解説しています。

同サイトのツイッターアカウント、『**毎日新聞 校閲センター**』をフォローしておけば、解説記事の新規投稿を漏れなくチェックすることも可能です。

「正しい文章の教科書」のような書籍を退屈に感じてしまい、最後まで読み切ることが難しい場合にも、記事1本から読める短い教育コンテンツのチェックを習慣化することがおすすめです。

文章を学ぶことに楽しみを見出せたあと、より本格的な文章にまつわる書籍を読み進めていくと良いでしょう。

Webライターを始めるための「仕事道具」

Webライターの業務に最低限必要となる道具は、パソコンとインターネット環境、この2つだけです。

今、パソコンを持っておらず、Webライターを始めるにあたりパソコンを新調する必要があるのなら、**直近1、2年のうちに発売されたもののうち、3〜5万円程度で発売されているWindows PCを選べば問題ない**でしょう。

どうしても心配なのであれば、周囲のパソコンに詳しい人に「インターネットが使える性能で、安いパソコンを教えて欲しい。国外モデルで大丈夫」だと伝えましょう。

また、Webライターを始めたいという方から「パソコンではなくスマートフォンで仕事ができませんか?」とよく聞かれます。

実際のところ、なかにはスマートフォンだけで完結できる仕事もあります。

しかし、記事制作はパソコンでなければ対応できない部分が多く、ITツールに相当詳しくなければ、パソコンを使わずにスマートフォンだけで業務をこなすことは困難です。できればパソコンを用意しましょう。

インターネット環境については、通信速度が特別速いプランにする必要はなく、名前を聞いたことがある会社の**一番安いプランでも仕事に支障はありません。**すでに自宅にインターネット環境があるのなら、それをそのまま利用する形で何ら問題ありません。

いろいろな意見があるとは思うものの、初めから高額な道具・ソフトを買い揃えても、Ｗｅｂライターの仕事が続かなければ意味はありません。

「必要最小限の道具を用意して、軌道に乗った段階で業務効率化のための道具を買い集める」といった意識が、小さなビジネスを成功させる際に大切です。

Ｗｅｂライターの仕事が軌道に乗ったあとに用意することで、仕事の効率がアップする道具については本書の後半部分で解説します。

クラウドソーシングで仕事を獲得する

最低限度の仕事道具を揃えたあとは、クラウドソーシングに登録し、仕事獲得の準備を進めましょう。

クラウドソーシングは、Ｗｅｂ関係の仕事を掲載する求人サイトのようなものです。あるいはＷｅｂ版のハローワークと言っても良いでしょう。

クラウドソーシングに掲載されている仕事の多くはリモート（在宅）ワークが可能なものばかりで、出社を求められる案件は多くありません。

まずは無料で利用できる大手サービスに登録してみてください。Ｗｅｂライター向けの仕事を掲載する大手サービスは、**「ランサーズ」**と**「クラウドワークス」がおす**

すめです。いずれも登録料はかからず、仕事を任せる側として誰かに仕事を依頼しない限り、お金を負担することはありません。

ただし、Ｗｅｂライターとして利用する場合、**仕事の完了時に受け取る報酬から、規定の割合の仲介手数料を差し引かれます。**

よく「ランサーズとクラウドワークスはどちらがおすすめですか？」と聞かれますが、個人的には、どちらも大差ないと感じます。

まずは、使ってみてフィーリングの合うほうを探してみてください。両方使ってみて、**使い勝手の良いほうを選ぶのがベスト**です。

また、なかにはこれらのクラウドソーシングを利用せず、会社員時代の人脈を利用したり、企業への飛び込み営業をしたりといった方もいます。こういった選択も悪くはなく、むしろいきなり大仕事を任せてもらえる可能性があるようです。

足を使った営業に自信がある方は、選択肢の1つとして頭の片隅に置いておいても良いでしょう。

クラウドソーシングにおける〝実績ゼロライター〟のプロフィール設定

クラウドソーシングに登録したあとは、できる限り早くプロフィールを作成しましょう。**プロフィールを見てアプローチしてくれる企業も多い**ため、プロフィールのない期間が長いほど仕事をもらえる機会を失ってしまうからです。

登録したその日にプロフィールを作成するくらいのスピード感が理想的です。

――名前は実名、または、実名風の仮名にする

設定する名前は実名が理想的です。

たとえば「藤原将」と「フジエモン」という初心者Ｗｅｂライターが2人いるとき、どちらのほうが誠実な印象を受けますか？

言わずもがな、誠実な印象を受けるのは「藤原将」です。

名前から受ける印象を原因として仕事獲得のチャンスを失うのはもったいないので、**可能であれば実名を公開しましょう。**

ランサーズの場合はプロフィール編集画面に「ユーザー名に本名を利用する」という項目があるので、実名の場合はチェックボックスにチェックを入れてください。

しかし、副業Ｗｅｂライターとして活動したり、プライバシーの観点から不安があったりといった理由により、実名公開に抵抗を抱くケースもあります。

この場合には、実名風の仮名を使うことを推奨します。面白おかしいニックネームではなく「佐々木武」や「小泉友里」といった、実名を連想させるライターネームを作ってしまうのです。

藤原将・フジエモン・佐々木武・小泉友里

このうち浮いているのは明らかに「フジエモン」だけです。以上の理由から実名、あるいは実名風の仮名の設定をおすすめしています。

プロフィール写真は清潔感のある顔写真がベスト

プロフィール写真は、あなたのプロフィールの印象をガラリと変える要素です。可能であれば**「清潔感のある顔写真」**を設定しましょう。

私の場合、副業Ｗｅｂライター時代にアニメ風アイコンを使っていたのですが、独立を機に**自身の顔写真に変えたところ劇的な変化**がありました。

クラウドソーシングを通じて「一緒に仕事をしたいです」とアピールしたとき、顔写真のほうが返信をもらえる確率が明らかに高くなったのです。

実際に、クラウドソーシングを使ってWebライターに仕事を振っている事業者数名に「プロフィール写真によりWebライターに抱く印象は変わりますか？」と聞いたところ、やはり**「顔写真の人を優先している。人柄がわかりやすく契約後のやり取りをイメージしやすい」**といった返答をいただきました。

調査対象は少なく「絶対にこうだ」というには根拠が弱いものの、一意見として参考にしてください。

なお、顔出しをしたくない場合には**「顔が見えない角度の本人写真」**にすると良いように思います。他人の写真や著作権のあるアニメアイコンは利用しないよう注意しましょう。

キャッチフレーズ

ランサーズのプロフィールには、キャッチフレーズという項目があります。

キャッチフレーズを設定しておくと、あらゆる場面で自身の名前・写真とともにキャッチフレーズが表示されます。

次の画像のうち「お問い合わせが来ました！」から始まる50文字程度のフレーズが、キャッチフレーズです（109ページ図参照）。

数多くいるWebライターのなかで目立つためには、キャッチフレーズに「あなたの強み・武器」を書き入れることが大切です。初めから「私の強みはこれだ！」と思えるものがあるなら、それをキャッチフレーズに盛り込んでください。

しかし、あなたは恐らく「Webライターに活かせる強み・武器なんてあったかな……」と不安になったはずです。

ですから、今回はあなたのために「実績ゼロでも使えるキャッチフレーズ」の切り口を3つご用意しました。

■ 仕事の早さ
■ 経歴（学歴・職歴）
■ ある分野に対する熱意

これらの切り口は、あなたにWebライターの実績がなくても使えます。

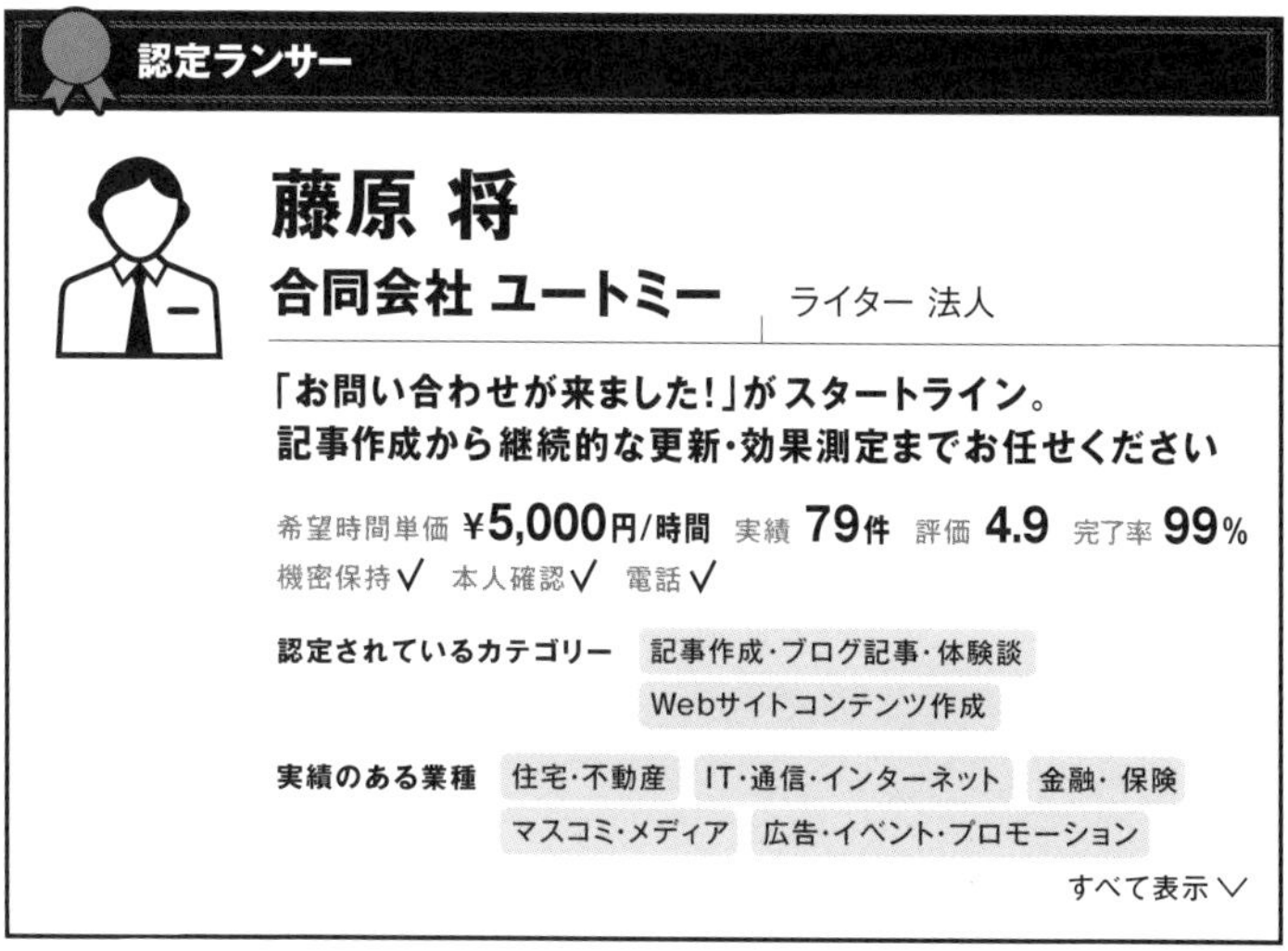

具体的にどのようなキャッチフレーズを作れば良いのでしょうか。

キャッチフレーズ例（早さ）

■返信は原則30分以内、スピード感のある仕事に自信あり

■「こんなに早いなんて」と驚かれる翌日納品が武器です

キャッチフレーズ例（経歴）

■元美容師ライター：ヘアケア・育毛記事ならお任せあれ

■現役証券マンです。金融の最新動向なら詳しく書けます

キャッチフレーズ例（熱意）

■ 誰よりも「釣り・キャンプ」を愛するアウトドアライター

■ ガジェット好きライター　PCへの投資額は100万円／年

いずれも、Webライターとしての実績がない段階から使えるので、あなたの属性・性格にあわせてカスタマイズしていただければと思います。

もちろん、そのまま使えるものがあれば真似していただいても問題ありません。

自己紹介

キャッチフレーズと同じく、まだ実績がなくても魅力的な自己紹介は書けます。学歴や職歴、バイト経験や趣味など「あなたの特徴」をアピールポイントに変換していきましょう。

試しに、私が実績ゼロのWebライターだと想像してプロフィールを書いて見せます。美容師業界出身の肩書を活かし、自身の経歴を武器に変換していきます。

実績ゼロWebライターのプロフィール案

美容師ライターとして活動している、藤原将と申します。

2015年から美容師として接客・技術職に従事し、2020年からWebライターとしてのキャリアをスタートさせました。Webライターとしての経験はまだ浅いものの、美容師を通じて培った「お客さまに最高の体験をしていただく」というこだわりを前面に出して、発注者さまと読者を感動させる仕事を目指しています。

【こんな仕事をお待ちしています】

美容師の仕事では、30〜50代の女性と接する機会が多く、料理・節約・美容といった話題でよく盛り上がっていました。

このような経験から、主婦層の心を掴む切り口でライティングができると考えていますので、次のような分野に関連した記事の制作をお任せいただければと思います。

料理／節約／時短／美容／家事／育児
このほかのジャンルも、ご相談いただければ全力で対応いたします。

【経歴】
２０１４年─美容学生の全国大会に出場
２０１５年─兵庫県神戸市の美容サロンに就職
２０２０年─Ｗｅｂライターとして活動開始

「その学歴や職歴、資格はライティングにどう生かせるの？」と自問し、単なる情報の羅列に終始しないよう意識してください。

就職面接の場で「私はたくさんアルバイトをしてきました」と語っても、面接官の評価が上がらないことと同じです。「私は多くの職場を経験してきたため、あらゆる年齢・性別の顧客対応を得意としています」とアピールして、初めてたくさんアルバイトをしてきた経験が武器に変わるのです。

ただ、**仕事を数件受ければ、もう少し充実したプロフィールに変えられるため、実績ゼロの段階ではざっくりとした自己ＰＲ文で問題ない**でしょう。１日や２日も時間をかけて作り込む段階ではありません。

なお、プロフィールを書くときは、駆け出しＷｅｂライターだからといって「駆け出しです」とか「初心者です」と記述しないよう心がけましょう。

発注者に向けて「駆け出しです」と宣言するのは予防線を張っているように見えますし、成果物の質が低いのではないかと発注者はネガティブな想像をしてしまうからです。

Ｗｅｂライターを名乗っている以上、すでにあなたはプロですから、プロフィールは自信に満ちた内容が良いでしょう。

――どんな案件を探し、応募すれば良いのか

クラウドソーシングの利用を始めたとき、どのような案件を探し、応募すれば良いのでしょうか。私の経験上、次のような基準で案件を探せば良いと考えています。

■ 自身の「経歴」に関連するジャンルの案件
■ 自身の「趣味」に関連するジャンルの案件
■ とりあえず書いてみて、不得意ではないジャンルを探す

まず、**自身の経歴をすべてピックアップ**してください。専門学校や大学に通学していたなら、どのような分野の知識を深めていたのか再確認し、バイト経験や転職履歴を一切の漏れなく洗い出して箇条書きにするのです。

そのあと、**どのような趣味を持っているのかも、思いつく限り書き出します。**箇条書きの行数が多いほど、あなたは広範囲なジャンルで記事制作を受けられる可能性があります。

たとえば、美容部員として働いた経験があるなら、肌ケア製品やメイク関連の記事制作に適性があると仮説を立てられます。スポーツトレーナーの経歴があるなら、ダイエットや食事管理のジャンルで実力を発揮できるかもしれません。

一概に経歴がそのまま活きると断言できないものの、当該分野における基礎知識があるため、記事制作をスラスラと進められる確率は高いでしょう。

趣味も同様です。釣りやキャンプならアウトドア系の記事制作、株式投資やＦＸなら投資系の記事制作に適性があると仮説を立てられます。仕事よりも率先して取り組んでいる分、趣味を軸に考えたほうが適性を探しやすいとも考えられます。

ここまでやってピンとくるものがなければ、ひとまず好き嫌いをせずに依頼を受けてみて、Ｗｅｂライターの仕事とあなたの相性の良し悪しを探ってみてください。

タスク方式とプロジェクト方式の違い

ランサーズやクラウドワークスのライティング案件は、その多くがタスク方式かプロジェクト方式です。

実際に一度経験していただくと理解は早いのですが、まったく情報のない状態では「タスク方式？プロジェクト方式？」と戸惑うこととなるため、簡単に解説します。

- タスク方式：数十分で完了するライトな仕事
- プロジェクト方式：執筆に時間を要する仕事

初心者Ｗｅｂライターはタスク方式の案件から受けるべきか、それとも最初からプロジェクト方式の案件を受けるべきなのかよく論争になります。

これには、**「基本的にプロジェクト方式の案件を探すほうが良い」**とお答えします。なぜなら、1案件あたりの**報酬額はプロジェクト方式のほうが高い傾向**にあり、Ｗｅｂライターとしてまとまった収入を得る場合に適しているからです。

プロジェクト方式のライティング案件は、発注者と連絡を取り合って「どのような記事を作るのか」を詳細に共有し、時間をかけて記事を作成する本格的な仕事です。

本書で学んでくだされば、あなたにはプロジェクト方式の案件を受けるのに十分な知識・能力が身についていますから、安心してください。

仕事に応募してみる（メッセージを送る）

クラウドソーシングでの掲載案件から応募したいものを見つけたら、次は提案文を送信します（クラウドソーシングでは自己PRメッセージを「提案文」と呼ぶ）。

私は、Webライターとして掲載案件に応募するだけでなく、ときに依頼の発注者として多くの案件をクラウドソーシングへ掲載してきました。

それらの経験から得られた**「案件獲得につながりづらい提案文」の特徴**は次のようなものです。

■ 明らかに〝テンプレート化〟された文章である

■自己PRという名の自分語りが長すぎる
■どんな価値を提供できるか明示していない
■「仕事をください」とお願いする格好になっている

このいずれかに当てはまる場合、案件の獲得率は著しく下がります。

反対に、いずれにも当てはまらない提案文を意識して、次のように作り変えると提案文に対する反応率は上がります。

■「私は信頼できる人間です」と暗に伝えている
■「この案件に携わりたい」という意思が感じられる
■採用された際、どんな価値を提供できるか明示している
■「あなたにお願いしたい」と頼んでもらえるよう主導権を握る

就職活動に近い部分があると思っていただいて問題ありません。独りよがりのメッセージを送っている限り、実力にかかわらず選考から外れてしまうのです。

ではここで、参考までに「提案文の型」をご紹介します。

明らかにテンプレートだとわかる提案文はNGですが、あなたが提案する時にカスタマイズして使う分には、全く問題ありません。

ですから、次に紹介する提案文の型は、そのまま使うのではなくチェックシートのような使い方をしてください。

まずは、よくあるライター募集案件の募集文を例示し、そのあとに提案文の型を紹介します。

募集文サンプル：パソコン関連商品のライティング

募集文をご覧いただきありがとうございます。PCマニアと申します。

本案件はマウスやキーボードなど、PC関連商品に詳しいライターさんにレビューをしていただく案件です。

そのほか、ゲーミングPCや自作PCの部品、PC関連商品をお送りするので、その商品のレビューも行っていただきます。SEOの観点から意識してほしいポイントは、こちらでマニュアルをまとめています。納品していただいたレビュー記事は、弊社メディアの『ＰＣ天国（※架空の名前）』に公開する予定です。

【仕事の条件】
文字数：４０００文字程度
報酬額：４０００円（税別・手数料別）
画像：お送りした商品を撮影し、原稿に画像を添付してください。
納期：商品到着から1週間程度で原稿を納品いただきたく存じます。（最大○日まで）
品質に問題なければ、毎月10～20本ほど記事制作をお任せしたいと考えております。

【確認事項　※ご回答ください】
・現在の職業

・週あたりの稼働時間
・記事制作の実績（できればＵＲＬもお願いいたします）
・ご自身のブログ・ＳＮＳ（あればお願いいたします）
・ＰＣ関連商品に対する知識はどのくらいあるのか
ご検討のほどよろしくお願い申し上げます。

今回は製品をもらってレビューを書くという、ガジェット好きにはたまらないライター募集案件を例にしました。

これは本書の執筆中、実際に目にしたクラウドソーシングの案件を多少改変したものです。自身の提案文作成における着目点が正しいか確かめるため、私が実際に提案文を送って「ぜひあなた（筆者）に任せたい」と返信をいただくところまで実証済みです。

まず、どのようなジャンルのライター募集案件であっても、**募集文を二度読みます。**

案件の掲載者（発注者）が**どのような人材を求めているのか把握し、どういった内**

容の提案文を送れば良いのか考えるためです。

募集文に「○○について答えてください」と質問があるにもかかわらず、回答しないまま提案文を送ってしまうと「このライターさんは募集文を読んでいないな」と判断されてしまいます。このようなミスをなくすためにも、募集文に二度は目を通しておきましょう。

先ほどの募集文であれば、募集文を読んだうえで提案文に盛り込むべき要素は4つあります。

① 挨拶&自己紹介
② 案件に対する意気込み
③ 仕事内容・条件を確認した旨
④ 5つの確認事項に対する返答

これらを踏まえて提案文サンプルを用意しました。

4つの要素がどのように組み入れられているか確認してください。

提案文サンプル：ライティング経験がない場合

初めまして、ライターの藤原と申します。

自作PCの組み上げを趣味としており、マウスやキーボードもこだわりを持って収集しているため、募集文を拝見してお力になれると思いご連絡しました。『PC天国』へのレビュー寄稿を通じて、良い製品を世の中に広めるお手伝いができればと存じます。

まずは5つの確認事項に対して回答します。

①現在の職業
現在、美容師を本業としており、休日は兼業ライターとして活動しております。

②週あたりの稼働時間
平日は1日4時間、週末は1日10時間稼働しておりますので、1週間に40時間ほど記事制作に充てられます。

③記事制作の実績
現在、ご提示できる実績がございません。ですので、まずはテストとして1記事目をご提示いただいている単価の半額（2000円）でお受けし、実力をご判断いただければと存じます。お見せできる実績はありませんが、全力でご期待に応えられるクオリティの記事を提供いたします。

④自身のSNS
Twitterアカウント、およびInstagramのアカウントを共有いたします。こちらでは、ライターの活動を通じて得た学びや気づきを発信しています
（URLを記載する）。

⑤ＰＣ関連商品に対する知識はどのくらいあるのか
現在、自作ＰＣをあわせて自宅に5台のＰＣがあり、マウスやキーボードといった周辺機器も毎月のように買い替えています。

スペックやデザインはもちろん、生活にどう変化を与えてくれるのかイメージさせられるよう、初心者に解説できる程度の知識があります。

確認事項のほか、文字数や画像の撮影・挿入、納期や継続契約となった場合の記事本数など、仕事に関する諸条件も把握いたしました。最大で月10本ほど対応できるかと思いますので、まずは1記事お任せいただけますと幸いです。

お忙しいところ恐縮ですが、ご検討のほどお願いいたします。


ライター未経験からスタートする場合、実績はゼロであるため、「過去にこんな記事を書きました」とアピールできません。

その分、**提案文の作り込みが重要**です。案件の募集者が募集文で伝えたいことを洗い出し、それぞれに丁寧な回答をするイメージをもって書くように意識してください。

また、今回の募集文では寄稿先のメディア名が記載されており、納品した記事は『ＰＣ天国』に掲載されるのだと判明しています。

『ＰＣ天国』の記事をいくつか読むことで、どのような記事が求められているのか具体的に把握できるため、提案文に**「ＰＣ天国を拝読しました。私もＰＣが大好きなので、◯◯の記事に大変共感しました」といったアピールを組み入れられます。**

相手に好印象を与える提案文を書くためにも、寄稿先の名前・ＵＲＬが開示されているなら必ず目を通しておきましょう。

なお、開示できる実績がないために提案文の反応が悪いのだと感じるなら、ブログやnote（ブログのような無料サービス）を使って、**これから仕事を獲得したいジャンルの記事を自分で書いてしまう**ことを推奨します。

今回のようにＰＣ・ガジェット関連のライティング案件を狙うなら「２０ＸＸ年最新版　ＰＣマニアがおすすめするゲーミングＰＣ５選」や「徹底比較！人気キーボー

ド○○とXXを1カ月ずつ使い込んでみた」といった企画を立て、記事を作成して自分のブログに載せてしまうのです。

これで次回の提案時から、堂々と**「過去にこんな記事を書いています」と開示できます。**

実際のところ、私も開示できる仕事の実績がない頃はこの方法を使っていました。自分のブログに載せる原稿に報酬は出ませんが、今後の提案通過率を高められるため、決して無駄にならないはずです。

③記事制作の実績

現在、公開可能な実績はありませんが、過去にPC・ガジェットについて執筆したブログ記事がございます。

編集者の手が入っていない私自身の実力がわかるコンテンツですので、こちらを知識レベルや文章力の判断材料としていただければ幸いです。

④自身のＳＮＳ
ライターとして発信しているブログとTwitterアカウント、Instagramのアカウントを共有いたします（ＵＲＬを記載する）。

このように、先ほどの提案文サンプルの「③記事制作の実績」「④自身のＳＮＳ」を書き換えれば良いでしょう。

クラウドソーシングで優遇を受ける設定をする

クラウドソーシングの、特にランサーズでの登録時に行っていただきたい「ランサーズのシステム的な優遇」を受けるための方法をご説明します。

ランサーズにはランク認定と呼ばれる制度があり、プロフィールの充実度や仕事をこなした数によってランクが「レギュラー→ブロンズ→シルバー→認定ランサー」の順にアップします。

ブロンズ以上の認定を受けるには、ランサーズ内で仕事の実績を積まなければなりません。

一方で、**レギュラーランクの認定はプロフィールの充実度を高めることで獲得できます。**

レギュラーランクにすると、仕事に応募したときに発注者側が見ることとなる「応募者一覧」に自己紹介文やプロフィール写真、キャッチフレーズが表示されます。

しかし、プロフィールの充実度を高めず、**ランクなしの状態でいる間は、応募者一覧に名前しか表示されません。**

写真やキャッチフレーズが表示されないため発注者側の印象に残りづらく、仕事獲得へ不利に働くのです。

こうした不利な状況を避けるためには、ランサーズのプロフィール設定を操作して次の条件をすべて満たす必要があります。

■ 表示名（名前）を登録する
■ プロフィール写真を登録する
■ 自己紹介を３００文字以上登録する
■ ビジネス経験、資格のうち１つ以上を登録する

■ スキル、スキルセット、ポートフォリオ、出品サービスのうち1つ以上登録する
■ 本人確認を認証する
■ 電話確認を認証する
■ 機密保持確認を認証する

ランクなしの状態からレギュラーランクに引き上げるために、他に何をすべきか知りたいときは、ログイン後のトップページから画面右上のユーザーアイコンをクリックしてください。

縦長のメニューのうち「マイページ」の上部に「ランクなし　レギュラーランクまであと○項目」と書かれているなら、これをクリックすると条件を満たせていない項目の確認ができます。

「下記の項目を満たすと、レギュラーランクになります」という項目がすべて埋まればレギュラーランクになるので、ランサーズの場合はなるべく早くシステム的な優遇を受けるための設定を済ませておきましょう。

最低限知っておくべき「著作権にまつわるルール」

Webライターとして仕事をするにあたり、他者が作成したサイトや書籍の文章、画像など著作権の対象となるデータを扱う機会が増えます。

ここでは、最低限知っておかなければならない「引用表記」「出所・出典表記」について解説します。

―― 引用表記についての注意

記事制作の際、記事の主張を補強するために、他者が作成したサイト・書籍などから文章を引用することがあります。他者のＷｅｂサイトから引用する場合には、次のように鍵カッコやダブルクォーテーション（〝〟）を使って**引用部分を囲み、引用元のサイト名や著者名とページタイトル（ＵＲＬ付）の記述が必要**です。

引用表記の例（Ｗｅｂサイトの場合）

「著作権の制限規定の1つです（第32条）。例えば学術論文を創作する際、自説を補強等するために、自分の著作物の中に、公表された他人の著作物を掲載する行為を言います。」引用：著作権なるほど質問箱「(https://pf.bunka.go.jp/chosaku/chosakuken/naruhodo/ref.asp)」

引用の書き方には「この形しかダメ」と決まった形がないため、メディアによってさまざまな書き方が見られます。

先ほどの**「引用元のサイト名＋ページタイトル（ＵＲＬ付）」の例は、最も簡潔な形**

なので、記事を納品するメディアのルールに従って表記することを推奨します。

一方で書籍を引用する場合は、**書籍のタイトル、著者名、出版社名、出版年、該当ページを明示して引用**します。

いずれの場合も、引用は「引用が必要となるケース」にのみ利用し、引用部分はあなたが作ったコンテンツを補助するための要素として使ってください。**引用部分がコンテンツのメインにならないよう留意**しましょう。

なお、文章をそのまま引用して使うのではなく、主義主張の参考としたり文章を要約して記事に書き入れたりする場合は、**引用ではなく「参考」と記します。**

――画像の利用についての注意

アイキャッチ画像や見出し下の画像など、記事の一部に無料画像（フリー画像）を挿入する際は、ダウンロード元のサイトが**「商用利用可能」と明記していることを確認**

してください。

また、ダウンロードサイトによってはクレジット表記が求められる場合もあります。

商用利用とクレジット表記に関しては、次のように認識しておくと良いでしょう。

■ 商用利用＝営利目的で利用すること
■ クレジット表記＝素材のダウンロードサイト名・製作者名の表記

加えて、著作権が他者にある画像を流用する場合、引用と同じように出所・出典表記が必要となります。

利用した画像の下部に「出所：○○」や「出典：○○」と書き入れて、出所を明記しておきましょう。

もしも、利用する画像に改変を加えた場合には、出所表記に続けて「出所：○○を加工して作成」や「出所：○○をもとにXX編集部が作成」などの記載が必要です。

あたかも、加工画像を元画像の作成者（出所）が作成したような形で利用してはいけません。

月収5万円を稼ぐために

お疲れさまでした。クラウドソーシングを使って月収5万円を稼ぐにあたり、必要となる知識はこの段階で身についています。

いきなり月収5万円を稼げてしまうケースのほうが少ないので、次の3点を意識して毎日を過ごしてみてください。

①どのような仕事があるのかを、毎日確認する（所要時間：5分）
②可能な限り、毎日提案文を送り続ける（所要時間：30分〜）
③わからないことが出てきたら検索するクセをつける

まず、クラウドソーシングで新着案件をチェックして提案文を送らないことには、一向に仕事を獲得できません。

できる範囲から始めて大丈夫なので、毎日1通以上は提案文を送るよう心がけてください。とにかく毎日行動し、副業に時間を割く習慣を身につけるのです。

また、Webライターを始めると、日々わからないことに遭遇します。そのとき「わからないから良いや」で済ませるず、GoogleやYahoo!を使った検索を習慣化しましょう。

Webライターの仕事の要は「記事制作のための情報収集」を正確に行うことです。普段から知らないことを検索する習慣がない人が、都合良く仕事のときだけ検索上手になることはありません。

自発的に検索した回数だけWebライターはレベルアップしますから、Webライターを名乗っている間は検索上手になることを意識してみてください。

副業・専業レベル

第2章

月収15万円を稼ぐ

副業として月収5万円を稼げるようになった段階から、私は独立して専業Ｗｅｂライターになることを意識しました。本業の環境から早く抜け出したかったのです。本章は、過去の私と同じように早く専業Ｗｅｂライターになりたいあなたにこそ、熟読していただきたい部分です。

しかし、現実問題として月収5万円程度の副収入で独立するのは怖いもの。もう少し副業での収入を伸ばしてから独立を検討するのも戦略としてアリですから、副業Ｗｅｂライターとして月収15万円を稼ぐ方法も追ってご説明します。

もちろん、専業Ｗｅｂライターとして月収15万円を稼ぐほうが、時間と労力を自由に使えるぶん圧倒的に難度は下がるものの、その場合、いくつか注意点があります。専業になるタイミング、副業のまま頑張るフェーズに関しては、本章を読みつつ、ご自身の性格と相談して決断してください。

専業Ｗｅｂライターで月収15万円を稼ぐ

専業Ｗｅｂライターとして月収15万円を目指す場合、必要なライティングスキルそのものは副業収入として月５万円を稼ぐ場合と変わりません。

シンプルに毎日コンスタントに文章を書くことと、**キャパオーバーするまで仕事獲得の手を止めない**ことだけ継続していれば、こなせる仕事量は増え、月収15万円に届きます。

ただ不思議なもので、副業Ｗｅｂライターの頃に毎日のライティングが日課となっていても、**独立して専業Ｗｅｂライターになったとたん、「ライティングを毎日やるなんて苦痛だ」**と思ってしまう現象が起こります。

「副業で頑張ってきて、やっと独立した自分」をゴールだと錯覚してしまい、燃え尽きるケースがあるのです。私もこの現象に苛まれ、**独立初月のライティング収入は何と3万円でした。**専業にもかかわらず……です。

もう1つの大切な意識として、キャパオーバーするまで仕事獲得の手を止めないことを挙げた理由は、**独立した自身に燃え尽きる隙を与えない**ためです。

いささか乱暴ではありますが、人は重要かつ緊急性の高いタスクに追われているほどよく働くもので、まさに私の燃え尽き症候群を吹き飛ばした方法もこれでした。

副業時代に月5万文字を書けるようになっているなら、専業Ｗｅｂライターとして月10万文字、あるいは15万字を書くための基礎体力は身についていると思われます。

毎日３３３３文字を書けば、30日で約10万文字。毎日５０００文字を書き続ければ、30日で15万文字に届きます。

前者であれば文字単価１・５円の仕事を、後者であれば文字単価1円の仕事を受けることで月収15万円の収入を得られるでしょう。

本業の合間を縫ってライティングをしていた副業時代よりも使える時間は大幅に増えているはずなので、とにかく時間を投下すれば数字を達成することは不可能ではないはずです。

もちろん、育児や介護の他、さまざまな事情と向き合いながらライティングをやっている場合、難しいこともあるかもしれません。あなたの性格や身を置く環境に応じて数字をちょうど良いものに変換してみてください。

ただ、自身の働き方にある程度の自由度がもたらされる「自営業の世界」へ飛び込むからには覚悟が必要です。

仕事上のつながりができ、毎月「これお願いできますか？」と継続的な依頼が来るようになり、**依頼1件あたりの受注単価が高くなるまでは、気合いを入れて毎日働き続けなければ競争に負けてしまいます。**

これはＷｅｂライターに限った話ではなく、未経験の分野で自営業としてビジネスを始めるとき必ず直面する問題であるため、手に職を付けて独立したいと願うなら覚えておきたい鉄則です。

副業Ｗｅｂライターで月収15万円を稼ぐ

結論、**副業Ｗｅｂライターとして月収15万円を稼ごうと思えば、文字単価は3円以上ほしい**ところ。兼業の場合はどうしても使える時間に制約があるため、平日に書ける文字数を劇的には増やせません。

ですから、すでに伸びが鈍化しつつある執筆スピードを上げるよりも、**文字単価を上げられるよう努めたほうが効果的に収入を伸ばせる**のです。

ただし、Ｗｅｂライター業界において、文字単価1～2円と3円のあいだには大きな隔たりがあります。

文字単価2円までの仕事は「専門知識がなくても書ける案件」が多い一方、文字単価3円を超えてくると「専門知識、あるいは高難度な情報収集が求められる案件」が多いのです。

参考までに、私が過去に受注してきた案件のうち、文字単価が2円以下のものと文字単価が3円以上のものをピックアップしました。

文字単価2円以下だった記事制作の内容・ジャンル

- ■ アニメキャラクターの解説
- ■ 節約テクニックの解説
- ■ 家電製品の解説
- ■ マッチングアプリの比較

文字単価3円以上だった記事制作の内容・ジャンル

- ■ 不動産投資の解説
- ■ 太陽光発電の解説

■ 個人情報保護法の解説
■ 企業における防災対策の解説

文字単価2円以下の記事は、少しネットで調べれば書けそうな内容である一方、文字単価3円以上の記事はテーマそのものの専門性が高い印象ですよね。

そのため、ざっくりとした情報収集だけでなく、ネット上に公開されている**論文や書籍を読んだり、ときにアポイントを取って専門家に意見を伺ったりするプロセスが必要**になります。

つまり、副業Webライターとして月収15万円を稼ぐなら、ただ提案をして仕事の数をこなすだけではなく、勉強をしたうえで「私は専門記事を書けるWebライターです」と言ってアピールしなければならないのです。

仕事に使う最低限のSEO知識

専業Webライターとして稼ぐ場合も、副業Webライターとして月収15万円を目指す場合も、一歩踏み込んだSEO知識の習得が必要です。

専業Webライターは時間・労力を多く投下できますが、それは理屈の上での話。そもそもフル稼働するための仕事量を確保しなければならないため、SEO知識を身につけて**募集条件に「要SEO知識」と記載のある案件にも積極的に提案できるようレベルアップする**必要があります。

実は、「SEO知識は一昼夜で学べるものではない」と言われています。

Webライターの仕事では使うことのないSEO知識まで学ぶとするならば、基礎知識の学習だけで数カ月かかるのです。

ですから最初は、「使う知識」に絞ってSEOを学習し、段階的に知識の範囲を広げれば良いでしょう。

第1章で説明したように、SEOの知識を理解しているほどネットの検索結果の上位に表示される可能性は高くなり、より多くの人が読んで役立ててくれる記事になります。

ひいては、あなたにSEO記事の制作を任せた発注者の「自社のメディアを伸ばしたい」といった目標を叶えることとなり、あなたも読者も、発注者も皆ポジティブな影響を受けられるのです。

また、本書を読んでいる方のなかには**「武器になるものがない」と感じている方もいると思います。その場合、SEO知識を身につければそれが武器となります。**

SEOは奥深く、専門家のなかでも解釈の分かれる部分が多いため、SEO記事の制作に携わるものとして常にアンテナを張っておくべきでしょう。

良いSEO記事は検索をやめさせる

第1章で、SEO記事を「ある情報を知りたい人の助けになるコンテンツ」と定義しましたが、どのような記事が理想的なのかいまいちイメージできていないのではないでしょうか？

もう少し掘り下げて、理想的なSEO記事についてご説明します。

たとえば、あなたが「未経験だけどWebライターになりたい」と考えたとき、次のどちらの記事を読めば大きな満足度を得られそうでしょうか？

・Ｗｅｂライターの平均収入についてのみ書かれた記事
・Ｗｅｂライターの平均収入、必要な文章力、仕事の獲得法など、幅広く書かれた記事

このような条件であれば、多くの方は後者の**「情報が網羅されている体系的な記事」**に、より大きな満足感を覚えます。なぜなら、徹底的に網羅されている記事は、読者に「この記事は私の悩みを完璧に解決してくれた」と思わせるからです。

部分的な知識をくれるコンテンツもありがたいのですが、知識の全容を手に入れるためにネット検索を繰り返す手間を考えると、最初から隅から隅まで知識をくれるコンテンツのほうがありがたいものです。部分的な知識から全部を学ぶことはできませんが、全部の知識からは部分的なことを学べるからです。

ここまでの解説を考慮すると、網羅的に情報が盛り込まれたＳＥＯ記事は、読者に

どういった行動をさせるでしょうか？

ケースA
・疑問が解消されたので、ひとまずネット検索をやめる
・疑問が解消されたので、別の検索キーワードで検索を始めた
ケースB
・検索結果に戻って別の記事を開いていく
・同じ検索キーワードで検索を続ける

恐らく読者は、ケースＡの行動を取るものと予想できます。
ケースＢに該当する行動を続けたなら、それは読んだ記事が悩みを完璧に解消してくれなかったからでしょう。何らかの不満や心配、物足りなさを感じたことが、そう行動させてしまったと考えるのが妥当です。

一連の解説をまとめると、**良いＳＥＯ記事とは網羅性を備えており、読み手の悩みを完璧に解消して読者に検索をやめさせる記事**だと言えます。

この「読者の疑問を完全・完璧に晴らす記事を作れば良い」という前提を理解しているだけで、ＳＥＯ記事制作に対する意識は高まります。

SEO知識を要するライターの業務

Webライターの業務のうち、SEO知識が必要となる領域は3つあります。

①ライティング：記事を執筆する業務
②記事構成：記事の設計図を作る業務
③タイトル決め：記事の主題を決める業務

1番目に挙げたライティングは、文章を書く業務のことです。
結論から言うと、**SEOライティングの基本は「常にどのような読者に読んでも**

らうか意識する」ことであり、特殊な文章術が必要となるわけではありません。

3つのうち、もっとも難度が高いのは2番目に挙げた記事構成です。

記事構成は**「どのような情報を読者に届けるか」を熟考し、過不足なく読者の悩みを解決するコンテンツ**の設計図を用意する作業です。

たとえば「沖縄旅行 格安 カップル」という検索キーワードを狙って記事制作する場合、単身向けの旅行情報を使った設計図では読者ニーズを満たせません。

このことからわかるように、完成した記事が読者にとって役立つものになるのかどうかは、ライティング前の工程である記事構成に左右されます。

最後の1つは、タイトル付けです。

タイトル付けは、いろいろな記事が並んでいるネット検索の画面から、読者を記事に引き入れる重要な役割を担っています。

発注者がタイトル付けをすることも多いのですが、案件のなかには「タイトル付けからライティングまでまるっと依頼」されるケースもあります。

良い「SEOライティング」を身につける

先の項目を踏まえると、SEOライティングは、**「読者に検索をやめさせる文章術」**だと定義できます。つまり「この記事が一番わかりやすいから、ほかの記事は検索しなくていいや」と思わせる文章を書くことが必要なのです。

SEOライティングなんて格好の良い名前がついてはいますが、優れたSEOライティングの定義はシンプルに次の3つです。

①欲しい情報が盛り込まれている

②話の展開が理解しやすい

③ 情報が最新である

読者目線でこの3つが高い水準にあるなら、その記事はSEOライティングの観点から優れていると言えます。反対にこれら3つが満たされていないなら、読者は「この記事ではなく、ほかの良い記事を検索して探そう」と考えるでしょう。

読者に検索をやめさせられなかったなら、それは低いレベルのSEOライティングだと判断できます。

① 欲しい情報が盛り込まれている

たとえば「出勤前の肌ケアを習慣化させたい」と考える乾燥肌の男性を想定読者とするなら、記事内容は短時間で取り組めるスキンケアの解説でなければなりません。「ミスト＋マッサージ＋パック」のような1時間近くかかるケアの方法を紹介しても、この男性の心には全く響かないでしょう。むしろ邪魔な情報に思えるはずです。

想定読者が欲している情報を盛り込み、欲していない情報を省いていくことがSEOライティングの基本です。

②話の展開が理解しやすい

第1章で解説した「全体から個別、抽象から具体」と「PREP法」を踏まえて、想定読者が欲している情報をまとめることで話の展開が理解しやすくなります。

また、先ほど例に挙げたような「これから肌ケアを始めたい」と考える男性を想定読者とするなら、女性にとってはスキンケアの常識と思われる内容であっても、一から丁寧に解説したほうが良いでしょう。**難しい用語はできる限り使わず、前提知識を持たない人に理解してもらえるレベルを意識すべき**です。

③情報が最新である

インターネットに公開されている情報や書籍をもとに記事を書くとき、**参考にした情報が最新のものであるか注意深く見ておきましょう。**

スキンケアで言うなら、製品は毎年新しいものが登場しますし、5年前と現在とでは常識が違っているかもしれません。

「鮮度の高い情報を伝えよう」と意識して材料を収集し、記事に盛り込むこともSEOライティングにおいて重要です。

良い「記事構成」を作成する方法

SEO記事のクオリティは、記事構成の作成に左右されます。

経験上、想像や勘に頼って構成案を作るより、次のような流れで構成案を作成すると上位表示されやすいと感じています。

①上位記事を上から5〜15記事参照
②読者は何を求めているのか仮説を立てる
③上位記事を参考に盛り込むトピックを決定

それぞれ解説していきましょう。

①上位記事を上から5〜15記事参照

記事構成を進める際に「読者はこういう情報を求めているだろう」と空想するだけ

ではいけません。

頭のなかで仮説を組み立てることは大事ですが、**競合相手となる上位記事の内容を知らないままコンテンツを作成しても、競合を上回る品質の記事を安定して生み出せない**からです。

目安として、これから記事を書く検索キーワードで実際に検索をかけて、**どのような内容の記事が表示されるのか5～15記事ほどチェック**してください。

上位表示している記事は、その時点における「Googleが読者にとって有益だと判断している記事」であり、原則として上位記事に含まれる情報は「読者が求めている情報」だと思って良いでしょう。

なお、上位表示される記事の傾向は、ブラウザのユーザー情報（あなたの属性・過去の行動）によって変動します。

この影響を回避するため、ブラウザはシークレットモードに設定してください。シークレットモードの使い方はGoogleで「あなたが使っているブラウザ名／シークレットモード／方法」といったキーワードで検索できます。

②読者は何を求めているのか仮説を立てる

上位記事の傾向を見たうえで、その検索キーワードで調べごとをする読者はどんな人物なのか、何を求めているのかの仮説を立てます。

- ■その分野の初心者なのか、一定以上の知識を持っているか
- ■「知りたい・やりたい・買いたい・行きたい」のうち、どの状態か
- ■手早く答えを知りたいのか、詳しい解説を望んでいるのか
- ■どのような属性（性別・年齢・職業・家族構成等）なのか

これらの視点から**検索意図（何を求めて検索したのか）を想像する**のです。

たとえば、検索キーワードを「株式投資／とは」と設定するなら、読者は株式投資の基礎知識を知りたい初心者なのだと予想できます。

専門用語をかみ砕き、株式投資の仕組みやメリット・デメリットなどを丁寧に解説するのが良いでしょう。

本記事の執筆時点では、実際に上位記事もそのような構成となっています。

一方、同じ株式投資の分野でも「デイトレード／書籍／おすすめ」が検索キーワードであれば、読者は全くの初心者ではないことが予想されます。デイトレードという用語を理解しているため基礎知識はある程度あり、検索意図としては「買いたい」という意思が強いものと考えられます。デイトレードに関する定番書籍を紹介し、各書籍の要点をまとめて購入ページに誘導するのが良いでしょう。

③ 上位記事を参考に盛り込むトピックを決定

上位記事を参照しつつ、検索キーワードから「読者の人物像」「求められる内容の方向性」を予想したあと、実際に上位記事の見出しを参考に**「どのようなトピックを盛り込むのか」を考えていきます。**

上位記事を順番にチェックし、Aの記事には含まれていてBの記事やCの記事には含まれていない情報、A・B・C・D……、すべての記事に含まれている情報など、上位記事で扱われている情報を見出し単位で精査しましょう。

上位記事に含まれる情報のうち、想定読者が知りたいであろう情報はすべて自身が書く記事にも取り入れます。

具体的にどのような作業を行うのか、161ページに示す上位記事Aと上位記事Bを参考にして新規記事の構成案作成例を紹介します（記事は架空のものです）。

上位記事Aと上位記事Bは、内容が被っている部分とそうでない部分があります。たとえば、株式投資の仕組みを解説する見出しや、おすすめのネット証券会社を紹介する見出しはどちらの記事にも含まれています。

一方、リスクや税金の説明は上位記事Aにしかなく、利益の獲得方法が3種類あることの説明は上位記事Bにしかありません。

「株式投資／とは」というキーワードで情報収集をしている読者にとって、どちらの情報も有用であるにもかかわらず……です。

このような上位記事の情報の抜け漏れを見つけたとき、その漏れを補うように意識

検索キーワード「株式投資とは」の上位記事A

1. 株式投資とは?

1-1 株売買により利益を得る仕組み
1-2 株式投資の3つの魅力
1-3 株式投資の運用スタイル

2. 株式投資を始めるまえに

2-1 株式投資のリスク
2-2 株式投資の税金について

3. 株式投資とほかの投資との違い

4. おすすめのネット証券会社

5. まとめ

検索キーワード「株式投資とは」の上位記事B

1. 株式投資の仕組み

2. 株式投資により得られる利益は3種類

2-1 売却益
2-2 配当収入
2-3 株主優待

3. 初めは何円から運用するのが良いの?

4. 「20××年」おすすめのネット証券会社

5. まとめ

して構成案を作成してみてください。

「株式投資／とは」と検索した読者が求めている情報を、上位記事を参考にして不足のないよう盛り込んでみました（163ページ図参照）。

上位表示するか否かは構成案だけで決まるわけではないものの、読者に「この記事は充実度が高かった。ほかの記事を見る必要はないな」と思わせる構成案にすることで、上位表示の可能性はぐっと高まります。

検索キーワード「株式投資とは」の自作構成案

1. 株式投資とは?

1-1 株式投資の仕組み

1-2 株式投資の3つの魅力

2. 株式投資により得られる利益は3種類

2-1 売却益

2-2 配当収入

2-3 株主優待

3. 株式投資の運用スタイル

3-1 デイトレード

3-2 スイングトレード

3-3 ポジショントレード

3-4 長期投資

4. 株式投資とほかの投資との違い

5. 事前に把握しておくべきリスク・税金について

5-1 株式投資にともなう4つのリスク

5-2 株式投資の税金・確定申告について

6. 初心者はいくら投資額を用意すべき?

7. 20××年最新!おすすめのネット証券会社

8. まとめ

良い「タイトル」を考える方法

タイトルの付け方は諸説あり、発信者により最適解の定義にはバラつきがあります。

私も試行錯誤し、どのようなタイトルを付けると良いのか悩んできました。結論から言えば「一回で理想的なタイトルを付けるのは難しい」と感じています。

記事を納品した当初、ベストだと思っていたタイトルが全くクリックされず、別の文言に変えたとたん、クリック率が改善されたというケースが多々あるからです。

そういう意味では、**クリック率を見つつ、タイトルを何度も変更することが最適解への近道**ではあります。

ただし、Ｗｅｂライターの仕事は納品単位であるため「記事を書いたら終わり」となることが多く、二度目以降のタイトル変更には関われないケースが多いです。

そのため、次に紹介する一般的にクリックされやすいと考えられているタイトル付けのポイント3つを意識し、私は二度目以降のタイトル変更をメディア運営者に任せています。


クリックされやすいタイトル付けのポイント3つ

① タイトルを32文字程度に収める
② 検索キーワードをタイトルに含める
③ 読者の興味＋提供する価値を伝える（できれば最新情報であることも伝える）

タイトルの文字数を制限する理由は、Googleの検索結果に表示されるタイトルが32文字前後だからです。ですが、**「読者のクリックを誘う文言」が32文字以内に入っていれば、後に続くタイトルが長くなっても問題ありません。**

しかし、「タイトルを32文字に収める」という基準を絶対のルールと捉える人もいるため、基本的には32文字程度に収めておくのがおすすめです。

「検索キーワードをタイトルに含める」は、検索キーワードが「株式投資／とは」であるとき、タイトルに「株式投資とは？　仕組みやメリット・デメリットを解説」などのように検索キーワードを入れます。

最後に挙げた「読者の興味＋提供する価値を伝える」が、タイトル付けにおいて最も頭を使うところです。**「読者の興味」は想定読者の興味を引く言葉を入れること、「提供する価値を伝える」は、当該記事がどのような情報か伝えること**を指します。

それぞれ具体的にどのような文言を使えば良いのか、例を挙げましょう。

・Ｗｅｂライターの仕事は8割が情報収集？
信頼性・速さ・独自性の追求方法

・Mac・Windowsどっち？
Ｗｅｂライターにおすすめのノートパソコン4選　２０ＸＸ

ネット検索の結果を眺めるとき、視線はタイトルの左側に集まりやすいと言われています。

ですから、まずは**感情に訴えかける文章を左側に寄せて関心を誘い、続けて、読んでみようと思わせる記事内容の開示**をしているのです。

なお、タイトルは記事の内容と一致するように意識し、記事内容とは関係のない表現にすることは避けましょう。

タイトルに惹かれてページを読み始めた読者は、タイトルと記事内容の乖離《かいり》を察知したとたんにページを離脱してしまいます。

これではGoogleに有益ではないコンテンツと判断され、検索結果の上位に表示されなくなってしまうのです。

■ タイトルと記事内容を一致させる

■ 不安を強く煽るタイトルは避ける

タイトルを考える際には、これらのポイントを意識するよう努めてください。

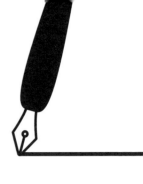

プロフィールをレベルアップさせる

月収15万円を達成するのであれば、言うまでもなく月収5万円のフェーズより多くの案件を獲得しなければなりません。

そのためには、あなたの**プロフィールと提案文を強化し、もっと仕事獲得に適したものにレベルアップさせる必要があります。**

まずは、プロフィールのレベルアップから解説します。

クラウドソーシングを通じて積極的にＷｅｂライターを探す企業は、サイト内の検索システムを活用して依頼先を探しています。

たとえば、太陽光発電に関する記事制作ができるWebライターを探す企業は、検索システムに「太陽光発電」と入力し、詳しそうな人材を絞り込みます。

この際、Webライターのプロフィール欄に「太陽光発電」の文言が入っていなければ、検索結果にはヒットしません。

そのため、太陽光発電の依頼が欲しいならプロフィールには「太陽光発電に詳しいです」といった記述をするよう意識しましょう。

自己紹介文の上限文字数をフルに使って書くほか、その**冒頭には「発注者の心をつかむアピール」**を配置し、**中盤から後半にかけて「検索結果にヒットさせたいキーワード」**を配置することをおすすめします。

第1章で作成したプロフィールのレベルアップ案をご紹介します（171ページ図参照）。

Webライターとして仕事を続けているうちに、発注者からポジティブな評価をいただけるかと思います。評価を得られたら、プロフィールに反映させましょう。

「仕事が早いですね」「やり取りが丁寧ですね」「文章が読みやすいですね」といった

客観的な評価は、特に実績の少ない駆け出し期間において大きな武器です。
積極的に盛り込んでいくことをおすすめします。

また、数件仕事を受けるうちに、記事をスラスラ書ける得意ジャンルが見つかったり、今後受けていきたいジャンルが見つかったりするかと思います。

そんなときは、例文で言う**「こんな仕事をお待ちしています」の項目に加えていく**と良いでしょう。

たとえば発注者が、ミニマリストについての記事を書けるライターを探しているとき、プロフィールに「ミニマリスト関連の記事を書けます・書きたいです」と記載しているライターは採用されやすくなります。

私の経験では、具体的かつニッチなジャンルを記載するほど、発注者に声をかけられやすいと言えます。

第1章で作成したプロフィールとの大きな違いの1つは、**「費用感」の項目を設けている**ことです。

レベルアップさせたプロフィール

美容業界出身のライターとして活動している、藤原将と申します。
30～50代の女性と接する機会の多かった美容師時代の経験を生かし、現在は美容や家事といったジャンルをメインにライターとして仕事をしています。丁寧さとスピードの両立を意識して日々仕事に励んでおり、その甲斐あってか多くの発注者さまに「仕事が早い」と評価していただきました。
美容師を通じて培った「お客さまに最高の体験をしていただく」というこだわりを前面に出して、私の全力を提供いたします。

【こんな仕事をお待ちしています】

美容師の仕事では30～50代の女性と接する機会が多く、料理・節約・美容といった話題でよく盛り上がっていました。このような経験から、主婦層の心を掴む切り口でライティングができると考えていますので、次のような分野に関連したSEO記事の制作をお任せいただければと思います。
□ 料理／節約／時短／美容／家事／育児
□ ファッション／ミニマリスト／トレーニング／ダイエット／ヘアケア／育毛
このほかのジャンルも、ご相談いただければ全力で対応いたします。

【費用感】

新規記事の制作：1文字1円（税・手数料別）～

【経 歴】

2014年　美容学生の全国大会に出場
2015年　兵庫県神戸市の美容サロンに就職
2020年　Webライターとして活動開始

ゼロからスタートした直後は、仕事の単価にこだわらず記事制作を経験することが大切であるものの、仕事を数件こなしたあとは少しずつ受注単価を意識すべきです。

あなたは、稼ぐためにWebライターを始めようと考えているのですから、いつまでも安売りするわけにはいきません。

「今受けている仕事の平均単価」を受注単価の最低ラインとしたり、思い切って「私は文字あたり1円以上ならすべて受けます」と明示したり、仮決めでも良いので自身のスキルに値付けをする習慣を付けていきましょう。

そして次が、本書の執筆時点における、私の最新のプロフィールです（173ページ図参照）。先ほどのプロフィールと比べて、こなれた感じがあるように見えないでしょうか。そう思わせるポイントは3つあります。

① 視座を合わせる
② 数字を示した実績公開
③ 積極的な事業貢献のスタンス

最新のプロフィール(本書執筆時点)

「歴6年のライター／御社の経営パートナー」

自身が経営者だからこそ「作業員ではなく経営にインパクトをもたらすパートナー」になることを目指します。上場･未上場を問わず多くの企業様とお仕事をしていますが、とくに「これからSEOメディアを育てていきたい」とお考えの経営者様をサポートする機会に恵まれてきました。御社の製品･サービスを広め、顧客に購入を検討していただくためのお手伝いをいたします。人柄をご判断いただけるSNS･ブログは『ポートフォリオ』の項目から閲覧可能です。

【2019年1月～2020年7月現在のSEO実績】

☐ 月間検索数 45000｜事業戦略系キーワード 3位
☐ 月間検索数 22000｜防災系キーワード 1位
☐ 月間検索数 6000｜投資系キーワード 1位
※Google検索の1ページ目表示率は60～70%(2020年以降)

【執筆経験の多いジャンル･キーワード】

☐ 太陽光発電投資(再エネ)
☐ 未上場ファンド･インフラファンド･FIT(固定価格買取制度、FIP･事業計画認定･土地活用･蓄電池･ソーラーシェアリング(営農型太陽光発電)･スマートシティ･ZEH(ゼッチ)～略～

参考までに、いま最も多くご相談をいただいている分野のKWを列挙しました。とくに金融･投資分野に強く、自身が米国株に投資をしていたり、空き家投資に関心があったりするため、日常的に最新情報へ触れています。ジャンルを問わず書籍を読むことが好きであるため、ネット上の情報より一段階深い内容のコンテンツを作成可能です。

【単価感の下限】

☐ SEO記事：文字単価4円 or 記事単価2万円
☐ 記事リライト／メルマガ執筆：1本1万円
☐ 編集／校正校閲：月15万～30万円･ランディングページ(LP)：都度相談･新規メディア立上げ･設計20万円

※価格はすべて税･手数料別です。まずは無料でしっかりとヒアリングさせてください。
具体的な提案をお聞きいただき、そのあと依頼するか否かを考えていただければと存じます。

まだ具体的な実績がない場合、今はあまり参考にならないと思えるかもしれませんが、後々必ず役に立ちますから、頭の片隅に置いておいてください。

それでは、このプロフィールを例に、３つのポイントをご説明します。

まず、**「あなた（発注者）と同じ目線でビジネスに協力したい」と伝えています。**これが、**視座（物事を考える立場）を合わせた状態**です。

発注者は同じ目線で物事を考えてくれる人材を重宝し、対等な立場のビジネスパートナーとして接する傾向にあります。それができるＷｅｂライターは少ないため、「希少な人材だから手放したくない」と言ってもらえるケースは多いのです。

ですから、経営者やプロジェクトリーダーと同じ視点を持って、二人三脚で仕事ができる人材だと伝えられるよう意識しましょう。

２つ目のポイントは、**数字を示して実績を公開**していることです。

駆け出し期間は数字で示せる実績が少ないのですが、Ｗｅｂライターとして活動を続けていると納品したＳＥＯ記事が上位表示し、ページの先頭に上がってくるケースが増えてきます。数字を交えて実績を公開するとインパクトがあり、発注者の期待度を高める効果が期待できるでしょう。SEO記事が上位表示したことを確認する方法は、第3章の『ライター＋αを目指すスキルの掛け算』で手法の一例をご紹介します。

3つ目のポイントは、**積極的な事業貢献のスタンスを示している**ことです。プロフィールにある「御社の製品・サービスを広め、顧客に購入を検討していただくためのお手伝いをいたします」の一文は、「商品を売る手伝いをして、御社の売上アップに貢献しますよ」といった意図を含んでいます。

2つ目のポイントとして挙げた実績公開は、それ単体では自慢に過ぎません。実績公開を経て、その**実績から得た経験を御社のビジネスにも生かすと断言**して、初めて実績公開が「この人に任せると良い結果が生まれそうだ」と想起させる導線となるのです。

プロフィールを閲覧する発注者に期待を抱いてもらえるよう、より良い訴求《そきゅう》を追求してアップデートを重ねましょう。

提案文をレベルアップさせる

プロフィールの次に、提案文をアップデートしていきましょう。募集文のサンプルは、111ページで紹介したものになります。

まずは、ライティングの経験はあるものの、PC関連の仕事で実績がない場合の提案文の事例をご用意しました。

基本的には第1章の提案文サンプルと同様ですが、ライティングの実績があるため「記事制作の実績」の項目を充実させて信頼性を高められます。

提案文サンプル：ライティングの経験あり（当該ジャンルの実績なし）

初めまして、藤原将と申します。

普段からPC・ガジェット情報を収集するため『GIZMODO』や『Engadget』を購読しています。仕事柄、作業効率を高めるためにマウスやキーボードを試用・収集しており、使用感について詳しく言及したレビュー記事を執筆可能です。

まずは5つの確認事項に対して回答します。

①現在の職業

SEO記事をメインに制作するライターとして、主に◯◯の分野で記事制作に携わっています。

②週あたりの稼働時間

基本的には1日7、8時間稼働しておりますので、1週間に50時間ほど記事制作に充てられます。

③記事制作の実績
PC・ガジェット関連の記事に関して公開可能な実績はありませんが、普段から分野をまたいでSEO記事のライティングをお任せいただだいているため、『PC天国』様のテイストにあわせて記事を仕上げられるかと存じます。

ジャンルこそ違いますが、以下の記事が文章力の参考になれば幸いです（URLを記載）。

④自身のブログ・SNS
ライターとして発信しているブログとTwitterアカウント、Instagramのアカウントを共有いたします（URLを記載）。

⑤ＰＣ関連商品に対する知識はどのくらいあるのか

現在、自作ＰＣをあわせて自宅に5台のＰＣがあり、マウスやキーボードといった周辺機器も毎月のように買い替えています。スペックやデザインはもちろん、購入すると生活にどう変化がもたらされるのかイメージできるよう、初心者に解説できる程度の知識があります。

確認事項のほか、文字数や画像の撮影・挿入、納期や継続契約となった場合の記事本数など、仕事に関する諸条件も把握いたしました。最大で月30本ほど対応できるかと思いますので、まずは1記事お任せいただければと存じます。

お忙しいところ恐縮ですが、ご検討のほどお願いいたします。

副業から専業Ｗｅｂライターになったことを想定し、随所の数字を増やして対応キャパを大きく見せるような提案文に変更しています。

提案部分の冒頭には、今回の案件とジャンルが近い『GIZMODO』や『Engadget』

などのメディアを購読しているとアピールしました。業界に関連するメディアの購読をアピールすることで、情報収集に熱心であると伝えられます。

先ほどの提案文サンプルは、ＰＣ・ガジェット記事の制作経験がないと仮定して考案したものですが、同ジャンルの制作経験があるなら「記事制作の実績」の内容はこのように変えられます。

③記事制作の実績
普段からＰＣ・ガジェット関連の記事を制作しているため、読者に応じたレベル感の内容を執筆可能です。同ジャンルの執筆経験を活かして、新規記事の案出し・構成作成にも対応できるかと存じます。
以下、ＰＣ・ガジェット関連のメディアに納品した記事です（ＵＲＬを記載する）。

現役ライターの記事制作フロー

Webライターとして成長を続けるには、**「1つの正解にこだわらない」ことが重要**です。

自分の導き出した正解は万人にとっての正解ではない可能性がありますし、本書でお伝えしている正解が、あなたにとってのベストとも限りません。

ですから、あくまでも本項で紹介する方法は、**正解のうちの1つである**ことに留意し、まずは第1章でお伝えした記事制作フローに沿って制作してください。

そして、仕事を10件納品したあとに、もう一度本項を読んで、見比べていただけたらと思います。見返すたびに必ず学びがあるはずです。

――フロー①：クライアントとの意思共有

良い記事を作るためには、**発注者があなたに何を依頼したいと思っているのか、その依頼を通じてどのような目標を果たしたいのかを、共有する必要があります。**

意思共有のプロセスを省略して作成した記事は、発注者が頭のなかでぼんやりイメージしていた記事とは異なる内容に仕上がり、発注者に「求めていた記事はこれじゃないんだよ」と思わせる原因になってしまうのです。

そのため、最初に意思共有の機会をたくさん取り、できる限り「発注者の頭のなか」を洗い出して言語化し、それから具体的な制作の工程に入るようにします。

このときに、確認しているポイントは、おおむね次の事項です。

- ■ メディア（サイト）の読者の属性は？
- ■ メディア（サイト）運営の目的は？
- ■ 販売する商品・サービスは？

■ メディア（サイト）のスタンスは？
■ 競合メディア（サイト）はどこ？
■ です・ます調（敬体）か、だ・である調（常体）か

各項目に、どのような設定を設け、メディア全体の方向性としてどこを向いてSEO記事を制作・アップしていくのかを確認する意図があります。

では、それぞれの項目を詳しく解説していきましょう。

メディア（サイト）の読者の属性は？

SEO記事を作成する前に、記事の納品先である発注者のメディアが、どういった人物をメディアの想定読者として設定するのかを明確にしなければなりません。

人物像を明確化するにあたり、確認すべき事項は次の通りです。

■ 年齢・性別
■ 家族構成・経済状況

■職種・社会的地位
■メディアに訪問した理由
■メディアで扱うテーマに対する趣味嗜好……etc.

これらの要素にフォーカスして、徐々に「お客さまはどのような人なのか」を洗い出す必要があります。私はＷｅｂライターを始めたとき、なぜお客さまの人物像を明確化したほうが良いのかわかりませんでした。

もしもあなたも、当時の私と同じ疑問を抱いているのなら、次の事例を読み進めてみてください。なぜ仕事に入るまでに細かく条件を聞き出すのか納得できるはずです。

あなたは雑誌の編集プロダクションで働いており、半年後に創刊される「女性向けファッション雑誌」の制作を、出版社から依頼されました。出版社の担当からは「良い感じの女性向けファッション雑誌を作ってよ」と言われ、報酬は後払いの条件で制作がスタートしたのです。

あなたは、まだ読者の人物像を明確化する必要性に気づいていなかったため、報酬面と制作納期のみを確認して、事前打ち合わせを終えました。

決まっていることは、「女性向けファッション雑誌を作る」ということだけ。あなたは、作業を始めるために机に向かったときに疑問が湧いてきました。「えっと、この雑誌はどんなファッションを好む女性に向けて作るのかな」「そもそも雑誌の読み手は若いのか？ それともマダム層なのか？」雑誌を作るためには事前打ち合わせで「誰（どのような人物像）に読んでもらうのか」を決めなければならなかったことに気づくのです。

SEO記事も同じで、読者像を決めないまま記事を書けば的外れな内容となります。記事の納品先である発注者のメディアが、どういった人物を読者と想定するのか、事前に明らかにしておきましょう。

メディア（サイト）運営の目的は？

想定読者のほか、続けてメディア運営の目的についても確認しておきましょう。発注者が思う「メディア運営を通じてこれを達成したい」というビジョンによって、書く記事の方向性は大きく変わるからです。

メディア運営の目的は、ざっくり分類すると次の3つが挙げられます。

①製品・サービスを売りたい
②〇〇を世間に認知させたい
③PVを増やして広告収入を得たい

特定の製品・サービスを売りたいのであれば、ライティングは常に**「記事のテーマ×製品・サービス」を意識**しなければなりません。

たとえば、書く記事のテーマが「筋トレ」だと仮定して、メディア運営の目的が「自社のプロテインを売ること」であれば、筋トレ記事はプロテインに対して否定的な内容を書くわけにはいきません。

もちろん、事実として「プロテインに頼らなくても食事からタンパク質は取れる」とか、あるいは「飲みすぎると肝臓に負担がかかる恐れもある」といった記述が必要になるシーンはあるものの、記事全体を通してプロテインに否定的な主張を続けると読者はプロテインを購入しないはずです。

制作したSEO記事の内容が発注者に不利益をもたらさないよう、メディア運営の目的は事前に聞き出しておきましょう。

販売する商品・サービスは？

「SEOを意識しつつ、さりげなく自社が販売する商品やサービスを紹介する記事を書いてほしい」と言われたとき、販売する商品・サービスがどのようなものか理解しないまま紹介しても読者に魅力は伝わりません。

その商品が、**読者の生活にどのような変化をもたらすのか、メリットとデメリットは何か**、といった情報は事前に仕入れておきましょう。

ライティング案件によってはSEO記事で商品紹介をしない場合もあるため、その場合は特に何かを聞き出す必要はありません。

メディア（サイト）のスタンスは？

発注者のメディアが読者に何を伝えたいのか明らかではない場合、認識の齟齬を避けるために**スタンスの共有**を行いましょう。

「メディア運営の目的＝メディアのスタンス」となっており、聞くまでもなくわかるケースもありますが、メディア運営の目的を聞き出すだけではスタンスがわからない場合に必要となるフェーズです。

■ 株式投資を始める人を増やしたい→株式投資に肯定的な記事内容にする
■ 株式投資を始める人を減らしたい→株式投資に否定的な記事内容にする

発注者が「株式投資を始める人を増やしたい」と思いメディアを運営しているにもかかわらず、納品記事の内容が株式投資を一貫して否定するものであれば納品を受け入れてもらえません。逆も同じです。

特に政治や宗教、海外文化などのセンシティブなテーマを扱う場合は、メディアのスタンスだけでなく記事単位でも「今回はこのようなメッセージを伝えるという認識でよろしいでしょうか」と尋ねることを推奨します。

競合メディア（サイト）はどこ？

発注者によっては「このメディアのようなテイストの文章が良い」と競合メディアに理想のイメージを見出していたり、「このメディアだけには負けたくない」と強い対抗意識を持っていたりするケースがあります。

競合メディアの情報を共有してもらうと、何も知らされないまま記事を書くより発注者の要望へ的確に応えられます。

そのため、**事前に「意識したほうが良い競合メディアはありますか？」と聞き出しましょう。**

です・ます調（敬体）か、だ・である調（常体）か

すでに記事公開をしているメディアへの寄稿なら、既存記事を見ることで文体を確認できます。

しかし、新規に立ち上げるメディアは参考となる既存記事がないため、あらかじめ

「です・ます調か、だ・である調かどちらがよいか」尋ねてみましょう。

フロー②：構成案の作成

●ページの『良い「記事構成」を作成する方法』では、構成案の作成を初心者向けに解説したため「まずは上位記事を読んで考えよう」と述べました。

しかし、**制作経験を積んだジャンルに限っては「まずは上位記事を見ずに構成案を作成→競合記事を確認して調整」という流れがおすすめ**です。

独自性のあるコンテンツを自分が思い付くことに期待して、初めはまっさらな状態から何も参考にせず案出しをするのです。

良くも悪くも、競合記事を見ることで「あの記事はこの情報を入れていたよな」と意識が引き寄せられるため、記事制作に慣れた段階からこちらのフローを採用しても良いと思います。

フロー③：競合記事の確認と調整

競合記事を見ないまま考案した構成案と上位記事を比べて、自ら作っている構成案に組み入れたほうが良い情報はないのか確認します。

案出しの段階で組み入れていた情報でも、**比較して不要と捉えたならば、切り捨てるなどの柔軟な対応をすることで、より良い記事になります。**

「せっかく思い付いたのに」と出した案を消し渋るようでは、読者に有益な構成案はできません。

フロー④：タイトルの考案

3パターンほどタイトルを作成します。

自身のなかで「これは良い」と思えるタイトルがあればそれを使い、どうしても迷う場合には発注者に「こんなタイトルを考案したのですが、ご意見いただけますか」

と尋ねると良いでしょう。

タイトル案に対して意見を求めることは、発注者に「コンテンツをより良くするための行動」と認識され、記事制作に真剣に向き合っていと受け取られるメリットもあります。

フロー⑤：記事制作と情報の補完

いよいよ記事制作を作る段階です。

構成案を用意してもらえる場合は、ここからスタートとなります。

「全体から個別、抽象から具体」や「PREP法」を駆使しつつ、次の3点を意識してどんどんと記事を書き進めていくフェーズです。

■ 読者の欲しい情報が盛り込まれている
■ 話の展開が理解しやすい
■ 情報が最新である

文章の微調整は見直しの際にやれば良いので、まずは書き切ってしまいましょう。

フロー⑥：情報の事実確認

参照するサイト・書籍に含まれている情報は、必ずしも正しいわけではありません。記事を書き終えて見直すときには、さらに**別のサイト・書籍を見て情報の正誤を確認**しましょう。

また、参照した情報が正しいものであっても、ライティングの際に書き誤ってしまうケースがあります。

特に次の3つは誤記が多い傾向にあるため、細心の注意が必要です。

■ ○○制度の内容の解釈
■ 数字の桁数・計算方法
■ 固有名詞（人名・地名など）

ライティング中に何度も使う固有名詞は、事前にユーザー辞書へ登録しておくと入力時のミスが減ります。

フロー⑦：誤字脱字のチェック

誤字脱字は、記事の見直しに時間をかければ回避できるミスです。

簡単に避けられるミスだけに、誤字脱字を繰り返すと発注者から受ける評価は下がります。音読、あるいはパソコンの音声読み上げ機能など、次のいずれかのソフト、サービスを併用することで誤字脱字を効率的に見つけられます。

- Microsoft Word（https://www.microsoft.com/ja-jp/microsoft-365/word）
- 文賢《ぶんけん》（https://rider-store.jp/bun-ken）
- Enno（無料サービス）（https://enno.jp/）

Microsoft Wordは、Microsoft社が提供するテキストエディタです。

文章を書くソフトとして一般的に使われており、私も仕事にはWordを使っています。Wordには誤字脱字や文法の誤りを指摘してくれる機能があり、細かくミスを指摘してくれるよう設定することが可能です。

設定方法はバージョンにより異なるため「Word 校正 設定」などのキーワードで検索してみてください。

2つ目に挙げた文賢は、株式会社ウェブライダーが販売する文章作成アドバイスツールです。

文章の読みやすさ、わかりやすさ、誤字脱字などのチェック機能を備えており、アドバイスや代替案の提示をしてくれます。初期費用が1万円を超えており、2000円前後の月額費用(本書執筆時点)もかかるため、Webライターとしての収入が伸びてからの導入検討をおすすめします。

Wordと文賢は音声読み上げ機能があるため、音声確認と同時にルールに則った機械的な校正を実行可能です。

最後に挙げたEnnoは、無料で利用できる誤字脱字チェックのサービス。書いた文章を貼り付けてチェックを実行すると、誤字脱字や文法の誤りを指摘してくれます。手軽に利用できるため、Wordや文賢の導入が難しければ最初はこのサービスから利用しても良いでしょう。

――フロー⑧：記事納品と情報共有

記事の見直しを終えると「仕事終了！」と油断しがちです。

しかし、**記事納品時の丁寧さこそ、発注者の評価を大きく左右するポイント**です。

■ 記事制作時に参照した情報ソースを文書にまとめて提出
■ 何らかの理由により構成を変更した場合は、理由を解説

前者は参考にしたサイトのＵＲＬ、書籍のタイトルとページをドキュメントに記述して納品記事とは別に「こんな情報ソースを参考に記事を制作しました」と提出する

こと。

後者は、記事制作前に渡された構成案に変更を加えた場合、なぜ独断で変更したのか理由を伝えるということです。

Webライターから記事が納品されたとき、発注者は「記事の情報の正誤チェック」と「構成の変更理由をWebライターに聞く作業」が業務として発生します。

これが、発注者にとって大きな負担となるのです。

一方、先ほど2つ挙げたポイントをWebライターが心がけると、発注者の業務負担は小さくなります。

些細なポイントですが、発注者の評価アップにつながるため習慣化させると良いでしょう。

発注者をリピーター化するためのコツを知ろう

安定的に月15万円の収入を得るなら、仕事が単発で終わらないように、**発注者をリピーター化（継続的に依頼してくれる状態に）することが大事**だと考えています。リピーターがいなければ、常に新規開拓を続けることとなり、営業にかける時間を確保するために執筆時間を削らなければならないからです。

ただ初回の仕事以降、一切リピートされないＷｅｂライターは珍しくありません。どんどんリピートされるＷｅｂライターと、リピートされないＷｅｂライターは何が違うのでしょうか。

私のもとに「継続の仕事がもらえなくて困っています」と相談してくださるライターさんや、よく仕事の情報を交換していた売れっ子ライターさん、また発注側などに、話を伺ってみると、その違いがいくつか見えてきました。

そのなかでも、継続率を左右するポイントは、次の3つでした。

①自分の不足を認め、協調できる
②信頼できる情報なのか入念に調べる
③発注者、読者のために書く

安定的に仕事を受注するうえで、技術だけでなく心得も大切になります。

次の項目から、これらを詳しく見ていきましょう。

①自分の不足を認め、協調できる

どんなに**熟練したＷｅｂライターであっても、発注者から「ここを直してほしい」と修正の依頼を受けることはあります。**

そして、誰しも自身が完璧だと思って提出したものに指摘が入れば、多少はモヤモヤとした気分になります。

しかし、正当な理由にもとづく指摘なら、Ｗｅｂライターは自身の不足を認めて「次回から注意いたします」と返答すべきです。

実際、リピーターを獲得できるＷｅｂライターは、指摘を1つずつ確認し、なぜ指摘されたのか考えて、修正点に対して「これは◯◯なのですね。ご指摘ありがとうございます」と回答している人が多いのです。

私が発注者の立場であるときも修正点に対して「理解しました」と伝えてくれるライターさんは頼もしく思えます。

このような対応を心がけ、次の納品時に修正点の反省を活かすように努めれば、リピーター獲得は順当に進むでしょう。

一方、**リピーターを獲得できていないケースのなかには、修正の依頼に対して不服を唱えるような事例も見られました。**

なかでも、ほかの発注者から聞いた「修正はしません。お断りします」と返答されたエピソードは印象的です。

ここまでの乱暴なケースは珍しいものの、修正の意図が伝わったかどうかわからないまま「はいはい、直しました」と形だけの雑な対応を受けることはよくあります。

いずれにしても、次回も依頼しようとは思えません。


ただ、理不尽と思われる指摘、根拠が不透明な指摘にも、ライターが応じるべきだと、私は思っていません。

依頼前と納品後の要求が変わっていたり、明らかに読者へ不都合をもたらすものだったり、明確な理由のない抽象的な修正依頼だったり。

そういった切り口の指摘を受けた場合には、違和感を率直に伝えることもプロとしての務めでしょう。

・メールを遡って確認しましたが、依頼前のご希望は○○だったと存じます。

・それでは読者を騙す形になるため、〇〇という表現が良いように思います。
・イメージをすり合わせるため、もう少し具体的な案をいただきたく存じます。

感情的に不服を唱えるのではなく、両者の誤解を解くようなコミュニケーションを心がけることで、建設的な関係を築くこともリピーター獲得のコツです。

② 信頼できる情報なのか入念に調べる

記事を書く際、知らない情報に遭遇することが多々あります。

私自身、聞いたことのない法律について書いたこともありますし、自分が生まれる前の出来事について書くこともありました。こうした場面に遭遇したとき**「情報の切り貼り」をして、文章を書いた気分になってはいけません。**

どこかから拾ってきた情報のなかには、ウソや間違いが潜んでいる可能性もあるからです。

たとえば、ネット記事を読んで「女性はプロテインを飲むだけで筋肉質になる」という知識を得たとします。これは誤った情報で、運動をすることなく、プロテインを飲むだけで筋肉質になることはありません。

これが誤っている(プロテインを飲むだけで筋肉質にはならない)という根拠となる情報は、トレーニングや栄養管理に明るいスポーツトレーナーから得たものです。

実際に、私が常に飲んでいるプロテインの成分表を見てみましたが、主な成分は、たんぱく質や乳化剤、着色料や甘味料でした。

そもそも、プロテインは日本語で「たんぱく質」を意味しており、製品としてのプロテインは単なる粉状のたんぱく質でしかありません。

たんぱく質は三大栄養素の1つで、鶏肉や乳製品に含まれているもの。鶏肉や乳製品を食べても筋肉質にならないように、プロテインを飲むだけで身体が筋肉質になることはないのです。

このように私たちの周りには、正しい知識、ウソや間違った知識が混在しているため、発注者は「正しい情報を調べて記事を書いてくれる人材」を求めています。

ですから、記事制作に必要な情報を集める際、まずは**「どのような人・組織が発信している情報なのか」を確認**し、その情報が信頼できるものかどうかを調べるよう意識することで、継続的に仕事を任せてもらえるようになります。

③ 発注者、読者のために書く

Ｗｅｂライターの仕事は、書いた文字数によって報酬が変動するものもあり、より多くの原稿料を受け取ろうとして文字数を水増しする人がいます。

１０００文字あれば伝えられる内容を、原稿料を増やすため２０００文字に引き伸ばすのです。

これでは、内容を薄めた長文記事に対して、発注者が原稿の価値以上の報酬を支払うこととなります。

読者も「知りたい情報を早く手に入れたい」と思って記事を読みますから、水増しされた文章を読んで喜ぶことはありません。得をするのは、水増し記事を書いた当人のみです。

内容を引き伸ばして文字数を増やせば、短期的には楽に収入を増やせるかもしれません。

しかし、発注者から「あのライターさんに次回も依頼しよう」と思ってもらうことは難しいでしょう。

見方を変えれば、**発注者にも読者にも貢献できるＷｅｂライターを目指す**ことで、長く仕事を依頼される人材になれるとも言えます。

一見、きれいごとに思える心得ではありますが、発注者も人間ですから「発注者や読者を第一に考えているライター」を贔屓したくなるもの。

結果として、継続契約につながる可能性は高くなり、**貢献度によっては報酬の増額も起こり得ます。**

いろいろなタイプのＷｅｂライターと協業し、ときに発注者として記事制作を依頼している私の経験則として、１つの参考にしていただければと思います。

月収15万円を稼ぐために

副業Webライターで月収15万円を稼げたとき、間違いなくあなたの生活は変わっているはずです。ただし、副業収入15万円の状態で独立した場合に、必ずしも専業Webライターとして成功するわけではありません。

本章の冒頭にも記したように、独立することがゴールになってしまい、専業になったとたんに燃え尽きてしまうことが危惧されるからです。

とはいえ、副業Webライターとして月収15万円を目指すあなたは、きっと「少し稼げたくらいで本業を辞めるのはリスクだ」と考えている慎重な性格の持ち主でしょう。あえて強く警告する必要もないかもしれません。

まずは月収15万円達成まで頑張ってください。

専業Webライターであれば、月収15万円はまだまだ通過点です。本書を読んで継続的にライティング案件を受ければ、確実に到達するラインです。

もし、実際に15万円を稼げたときには、自分を褒めてあげてください。

自力で15万円ものお金を稼ぎ出すためには、人並み以上の覚悟と努力を要します。運だけで稼げる金額ではありません。

確実に力が付いていると自覚し、次の段階を目指しましょう。

専業レベル

第3章

月収50〜100万円を稼ぐ

月収50万～100万円を稼ぐというのは、月収15万円に比べてずいぶん飛躍した話だと思いがちですが、決して別世界の話ではありません。

私自身、Webライターを始めたばかりの頃は「Webライターで月収50万円なんて、話を盛っているのだろう」と疑っていました。

ですが、Twitterを使い始めてから、在宅Webライターとして月50万円以上を稼いでいる人が結構いることを知りました。

同時に、月収15万円と50万円、それから100万円を稼ぐWebライターの間に「文章力の差」はそれほどないこともわかったのです。

高収入なWebライターを見る限り、収入水準の高まりはもっと根源的な部分に関係しているように見えます。

そのポイントを次の項目からお伝えします。

月収50〜100万円を稼ぐWebライターとは？

高収入のWebライターにあって、月収15万円のWebライターにないものは、次のいずれかのみです。学歴や地頭の良さはほぼ関係なく、すべてを満たせば月収50万円は現実的に達成可能なのです。

- ■ 仕事を進めやすい人である（コミュニケーションコストがかからない）
- ■ 仕事獲得の経路を多数持っている（多くの依頼を取捨選択できる環境にいる）
- ■ 業務効率を最適化している（体格にあうデスク・チェアを選んでいる）
- ■ 圧倒的に得意な分野がある（専門性の高いテーマを詳しく執筆できる）

■ ライティング以外もできる（本来、発注者の仕事である領域をカバー）

第3章の主題には「月収50万～100万円」と振れ幅のある表現を使っていますが、この振れ幅の正体は**「費やせる作業時間」や「自身が専門とするライティングのジャンル」**です。

月収50万円のWebライターが、倍の作業時間を取れば、理屈の上では月収100万円に届きます。

ライティングのスピードが徐々に短縮化されて、1案件にかかる作業時間が半分になることも考えられるでしょう。

また、記事制作のジャンルが変われば受注単価が倍になるケースもあるため、**一度月収50万円に届けば、月収100万円を稼ぐだけのポテンシャルは持っています。**

それでは、先ほど5つ挙げたポイントについて、次の項目から解説していきます。

契約している発注者との距離感を調整する

「仕事を進めやすい人」と「仕事を進めにくい人」なら、もちろん「仕事を進めやすい人」と一緒に働きたいものですよね。

Webライターの仕事を通じて関わる取引相手も、まったく同じ考えを持っているはずです。

ですから、取引相手に「この人は仕事を進めやすいな」と感じてもらえれば、あなたは引く手あまたの売れっ子に近付くことができるでしょう。

そのためには、次の3つを意識すべきだと考えています。

■ 即レス（副業なら可能な範囲で早く）する
■ 曖昧な表現をやめて、意思疎通は数字を使う
■ 納期まで期間が長いなら進捗報告をする

それぞれ、どのようなコミュニケーションを心がければ良いのを、具体的に解説していきます。

――「即レス」は発注者を安心させる

突然ですが、あなたがオーダーメイドのインテリアを購入する場面を想像してみてください。

受注生産なので、購入費用として数万円を前払いしました。費用を支払ったあと、大切な要望を伝え忘れていたことを思い出し、急いで電話をかけたとします。

しかし電話がつながらないため、ホームページから問い合わせのメッセージを送信しました。

「丸1日経ったけど返信がないな。昨日も今日も平日だから営業日のはずなのに」と、あなたは段々と不安になり、やがて「なんで返信してくれないんだ」と少しずつモヤモヤしています。

それから3日後に返信があり、注文を聞き入れてくれるとのこと。でも、あなたは「今回はまあ良い。でも二度目の利用はないな」と判断しました。

いかがでしょうか？　まとまった金額を支払っているのに商品の購入先から返信がないことに多少は腹が立つでしょう。

ライティング案件において取引先の連絡にすぐ返信しないのも同じような構図です。

正直、発注者の心の中は予想できません。

発注者が「なんで返信しないんだ」と怒るタイミングは、1週間経った頃かもしれませんし、6時間返信しないだけでブチギレられるかもしれません。

このように、**予測不可能な相手の不機嫌スイッチを押さないためには、とにかく即**

レスを意識することが有効なのです。

特に仕事の関係が始まって間もない頃は、あなたに対して「この人はちゃんと期日通りに仕事をしてくれるのだろうか」と不安を抱いていますから、可能な限り早く返信することを徹底すべきでしょう。

私の場合、独立当初は5分以内に返信していました。

副業時代もトイレに行くたびに携帯電話を確認して、メッセージが来ていないか確認していたと記憶しています。

今は仕事の連絡をいただく回数が多いため即レスはできていませんが、仕事のメッセージは12時間以内、遅くとも24時間以内に返すよう心がけています。

即レスは「相手に安心感を与える」という点で武器になるので、可能な範囲で意識してみてください。

意思疎通には数字を使う

私がいた美容師業界では、カラーやパーマの薬剤を正確な分量で混ぜなければイメージ通りの効果を得られないため、美容師は互いに数字を細かく聞き出していました。ですが、Ｗｅｂライターを始めてから「曖昧な表現」が横行していることに驚きました。

「まあまあ進んでいます」「金額は5くらいでお願いします」「報酬はまた決めましょう」「そのときどきで判断してください」……。

これらの表現は、親密な仕事仲間の会話であれば良いでしょう。

しかし、ビジネスコミュニケーションにおいて**「まあまあ進んでいます」はＮＧ**です。「まあまあ」の基準が人それぞれである以上、それは何も伝達できていないのと同じだからです。

明確な単位がないならパーセント（％）で伝えれば良いですし、ライティング案件なら文字数や記事数という単位が存在します。

恐ろしかったのが「金額は5くらいでお願いします」という言葉です。5000円なのか5万円なのか、はたまた500円なのかわからなくて困ります。「報酬はまた決めましょう」ではなく、その場で決めてください。「そのときどきで判断してください」と言われ、臨機応変に選んだ対応へケチを付けられたことは一度や二度ではありません。

お金が動いたり期日に関係したり、あらゆるシーンで曖昧な表現はトラブルの種となります。発注者の曖昧な表現はすぐ聞き入れず、**必ず「つまり○○という認識でよろしいでしょうか」と確認を入れてください。口約束ではなく、文章データとして残るよう意識する**こともセットです。これだけでビジネス上のトラブルは9割解決すると思っています。

「曖昧な表現を指摘せずに見過ごせば、チャンスにつながったかもしれないのに……」と考えるかもしれませんが、それによって起こった「報酬を受け取れない」「当初の認識とは全く異なる仕事をやらされた」などといったトラブルの経験は、数え切れないほどあります。

稼ぐWebライターを目指すのであれば、「確実な商談のみキャッチする」ように心がけるべきです。

定期的に進捗報告をする

私の場合、月初めに依頼された仕事を月末に納品するケースがほとんどです。

この受注から納品までの期間を長いと捉えるか、短いと捉えるかは人それぞれですが、私は受注か納品までの期間が2週間を超えるケースを「長い」と定義し、納品までに何度か進捗報告をします。

初仕事なら週に一度は進捗報告を入れ、記事制作が進んでいることを伝えて安心感を与えています。その後、取引相手が心配性であると思われる場合を除いて、**付き合いの長い発注者は進捗報告の間隔を2週間に一度程度まで伸ばす**イメージです。

メディア運営者の目線から言うと、**記事品質が同じなら納品されるまでの時間は短ければ短いほど理想的**です。

納品が早いほど記事公開までの日程を早められ、結果としてインターネット上に掲載される期間が長くなります。

記事公開が遅いほど「今日公開すれば訪問していた読者」を取り逃すこととなるため、機会損失を強く嫌う発注者は「あの記事の納品はまだかな」とイライラしてしまうのです。

このイライラの原因は、大部分が「納品の日程を予想できないこと」によるもの。よって、積極的に進捗報告をすれば、不確定要素に対する苛立ちは抑制され、発注者に気に入られる可能性が高まります。

進捗報告を行うＷｅｂライターばかりではないため、こまめにスケジュールを伝えるだけで評価につながるのだと覚えておいてください。

仕事獲得の経路を拡大する

ここまで、クラウドソーシングを使った仕事術を中心にお話ししてきました。

しかし、Ｗｅｂライターを探しているにもかかわらず、こうした仲介サイトを利用していない事業者は大勢います。

ですから、**クラウドソーシングのみを利用するのではなく、別の経路からも仕事獲得をしたほうが受注量は安定しやすい**のです。

この章では、クラウドソーシングを使い慣れたあとに実践してほしい、それ以外の仕事獲得の方法をご説明します。

メディアに直接営業をかける

あなたがこれまでに制作してきたジャンル、あるいはこれから携わりたいジャンルを洗い出し、そのジャンルに関連するメディアに直接営業をかける方法があります。

たとえば、あなたが「太陽光発電投資のジャンル」の記事制作を受注したいと仮定します。ならば、「太陽光発電投資」「太陽光発電投資メリット」といったキーワードで**Google検索を行い、どのようなメディアがヒットするかを確認**しましょう。

ほとんどの場合、検索結果の1ページ目にSEO記事がいくつかヒットするはず。それらのメディアは、すべて営業対象の候補です。

メディアによっては「ライター募集要項」といった、ライター側が問い合わせするためのページが用意されています。

もし、**ライター専用の問い合わせページがなければ、そのほかの窓口からアプローチしてみましょう。**

直接営業をかけるときのメールも、これまでの提案文の考え方が基本です。

ただし、クラウドソーシングでのライター募集とは異なり、直接営業では、相手が今ライターを欲しているか否か、わからない状態でアプローチすることとなります。

あなたが営業メールを送ったタイミングは、相手がライターを求めていないタイミングかもしれないのです。

そのため、直接営業をかけるときは、あなたを採用するメリットをギュッと凝縮してアピールする必要があります。

そうでなければ「今、Ｗｅｂライターを求めていないし、特別魅力のある人でもないから断ろう」とメールを無視されてしまいます。

具体的にどのようなアピールをすると効果的なのでしょうか？

原則として、**直接営業時のメールは件名やメールの冒頭が命**です。

たとえば、次のような件名を使うと、十中八九メールに良い返信はありません。

反応をもらえない件名の例

・初めまして、藤原と申します
・ライター募集の件

一見すると、ストレートで良い件名に思えるかもしれませんが、典型的な読まれないメールの件名です。送り先が企業であれば、営業メールの確認は業務の一環ですから、メールに目を通してもらえる可能性はあります。

ただし、相手が多忙な個人のメディア運営者なら、メールは開封すらされないでしょう。なぜなら、ダメな件名の例は、いずれも次のNG要素を含んでいるからです。

■ 開封の価値を一言で伝えていない
■ 具体的なメッセージを示していない

つまり、相手から良い返信をもらいたいなら、**メールを開封する価値を件名で伝え**

て期待を抱かせ、かつ件名からどのようなメールの内容かを察せるくらいに具体的な件名にすると良いのです。

これらの点を踏まえて、反応をもらえる件名の例をご紹介します。

反応をもらえる件名の例

・[すぐ稼働可] ライター募集を拝見しました
・FP持ちライターとして権威性のある記事を書けます

前者は「すぐ稼働できる」と言い、後者は「FP持ちなので権威性を発揮できる」と言って、相手に提供できる価値を明確に伝えています。

また、どちらも件名を読むだけで、どういった主張のメールなのか予想ができます。

このような件名にすれば、相手に自分を採用するメリットと、メールの主張を素早く伝えられるため、仕事をスムーズにこなせる人物として相手に印象付けられます。

結果として、メールがすぐに開封され、良い返事がくる可能性は高くなるのです。

次に、営業メールの中身を、**「挨拶↓名乗る↓要件を伝える↓経歴・実績の提示↓要件を再度伝える」の流れで伝える**とシンプルに組み上がります。

まずは**「挨拶〜要件を伝える」**です。

メール開封後の導入部分は、挨拶のあと「自分は何者か・なぜ連絡したのか・どんな価値提供ができるのか」を伝えます。

相手は、メールの送り主が誰なのか全くわからない状況であり、その意図と相手の属性・能力が明らかになるまで反応できません。

ですから、自己紹介は端的にまとめつつ、信用に値する人間であることを伝えるよう意識してください。クラウドソーシングの提案文がヒントになるはずです。

次に**「経歴・実績の提示」**です。

あなたの経歴や実績を提示するタイミングは、**必ず要件を伝えたあと**です。要件の前に経歴や実績を伝えたところで、メールの受信側は経歴や実績を説明される理由がわからないまま、あなたの自己PRを聞かされることとなってしまうのです。

要件を伝えたあとに「自分はこういう能力があるから、要件とあわせて検討してほしい」とつなげることで、相手へメールの意図がスムーズに伝わります。

「経歴・実績を提示」し、次は「要件を再度伝える」へ進みましょう。

「要件を一度言っているから、もう良いのでは？」と思ってしまいがちですが、読み手はあなたの経歴・実績を読み進めている間に、要件を忘れてしまっています。

もちろん、完全に忘れているわけではありません。要するに「この件に返信してあげなきゃ」という意識が弱まった状態になっているのです。

ですから、相手に「○○の件、ご返信いただけますと幸いです」と、返信を促すと良いでしょう。

また、再度要件を伝えることで、相手に前文をさかのぼって読ませる手間をかけさせないよう配慮できます。

Twitterを使って発信する

記事制作を依頼するとき、発注者がＷｅｂライターの募集に使う媒体はクラウドソーシングや求人サイトだけではありません。

私を含め、発注者としてＷｅｂライターを探している人は、**Twitterを使って希望する人材を募集することもあります**。

こういったケースにも対応するため、クラウドソーシングで仕事を獲得することに慣れたら、Twitterを使って「私はＷｅｂライターです」と認知されるように発信活動をしてみましょう。

私は、Ｗｅｂライターとして独立した1年後からTwitterを始めました。

そのなかで感じた、Twitterを活用することのメリットは次のようなものです。

- ■ Twitterで募集されている案件に応募できる
- ■ Twitter経由で直接声がかかることもある
- ■ Twitterを見た発注者に人柄が伝わる
- ■ 横のつながり（ライター仲間）を作れる

ＳＮＳは、Twitterのほかに Facebookや Instagramなどが存在しますが、私はTwitterを勧めます。

Facebookよりも Twitterのほうがオープンなコミュニティが形成される傾向にあり、表に出てくるライター募集の数が多くなるからです。

また、Instagramに比べて文章単体の投稿が主流であり、画像を載せなくても良いぶん活用のハードルが低いのです。

発信することに抵抗があったとしても、できるだけTwitterは利用すべきでしょう。

Twitterを利用しない＝廃業リスクが高くなる。

私がTwitterの活用を推奨する理由は、この一文に集約されています。クラウドソーシングだけで生計を立てている限り、仕事獲得の経路は1つしかありません。直接営業をかけられそうなメディアを探すのは容易ではないですし、後述するブログ運営を用いた依頼獲得は、案件受注のタイミングを選べません。

ですから、完全にクラウドソーシングに依存してしまうと、何らかの理由によりサービスが使えなくなったとき、仕事獲得の術がなくなってしまうのです。

ですから、クラウドソーシングに慣れた段階から、**もう1つの太い柱になり得るTwitterを育てていくことを推奨します。**

Twitterを仕事獲得のために使う場合、目指すゴールは3つあります。

①Twitterに公開されているライター募集に応募する
②Twitterで仲良くなった同業者から仕事を紹介してもらう
③「発注者の目に留まる発信」をして、直接依頼をもらう

1番目から3番目にかけて、順番に難度は高まります。

ですから、まずは**「Twitterに公開されているライター募集に応募する」を目標として行動する**ことをおすすめします。


ただし、Twitterに登録するだけで仕事を得られるわけではありません。

Twitterに画像もプロフィールも設定しないままライター募集に応募しても、おそらく仕事を任せてはもらえないでしょう。

あなたのTwitterアカウントを見たとき、**発注者側が「この人は信頼できそうだから仕事を任せても大丈夫だろう」と思われるように振る舞う必要がある**のです。

そのためには、まずWebライターとしてのプロフィールを整える必要があります。

Twitterのユーザーネームには自身のライターネームを書き入れ、クラウドソーシングで利用している画像と同じものをプロフィール写真として設定、プロフィールの自己紹介には次の要素を記述しておくと良いでしょう。

■ 職業（Webライター）

■ 得意な記事ジャンル
■ 対応可能な業務
■ 人となりがわかる一文
■ ざっくりとした受注単価

例を1つ挙げます。

Ｗｅｂライター／金融・投資ジャンルのＳＥＯ記事制作を得意としています。構成作成やライティングのほか、WordPressへの直接入稿が可能です。納期はもちろん厳守、こまめなコミュニケーションを心がけて活動中。現在の単価は1文字◯円です。仕事依頼はＤＭからお願いいたします。

Twitter上でキャラクターが確立してくれば、もう少しひねったプロフィールでも良いと思います。ただ、最初はこの程度の無難なプロフィールで良いでしょう。

プロフィールの設定を終えたら、さっそくライターを募集している人がいるか探してみましょう。

探し方は簡単で、**Twitterの検索欄に「ライター募集」と打ち込むだけ**です。

この方法でヒットするライター募集案件のほとんどは、ジャンル・求める人物像がざっくりと書かれているだけですので、詳細を聞くために募集ツイートの発信者にダイレクトメッセージを送りましょう。

この際、ダイレクトメッセージに送信する内容は、基本的にはクラウドソーシングサイトで使っている提案文と同じ要領で考えれば問題ありません。

なお、検索をかけても検索時点で募集案件がないケースもあります。

その場合は**「ライター募集」の検索でヒットした過去の投稿から、定期的にライターを募集している発信者を探してフォローし、その発信者が次に募集をするタイミングを逃さないようウォッチしておく**ことをおすすめします。

ブログ運営を始める

メディアへの直接営業やTwitterを使った仕事獲得は、いずれも「能動的に仕事を探す」という側面が強く、仕事を獲得するためには自分が行動を起こしてアプローチしなければなりません。

つまり、**仕事獲得に力を入れるほど営業活動に時間と労力を取られてしまいます。**

結果として、記事制作へ割くリソースは減ってしまうのです。

ですから、最終的には「自ら営業しなくても依頼相談がくる状況」を目指すべきだと、私は考えてきました。営業をしなくても依頼がくるなら、あなたは仕事時間のすべてをライティング業務のみに充てられるからです。

この状況を作るために始めるべき取り組みの1つが、**集客用ブログの運営**です。

集客用ブログは、普段あなたが記事制作をしているジャンルのSEO記事を制作し、「この記事を書いたライターに依頼をしたい」と思わせるためのブログです。

ブログ運営を始めるにあたり、事前に意識してほしいことが3点あります。

- ブログ内であなたの職業（ライター）を開示する
- 最初は今後受注したい仕事のジャンルで記事を書く
- ブログからあなたに依頼相談ができることをアピールする

何となくブログ運営を始めても、依頼相談につながる見込みは高くありません。最初からうまくやる必要はありませんが、頭の片隅に、この3点を置いてください。

では具体例として、あなたが「キャッシュレス決済について詳しいWebライター」として、「キャッシュレス決済の記事制作に関する依頼相談の獲得」をゴールとしたブログを作成する場合について考えてみましょう。

「キャッシュレス決済の記事制作に関する依頼相談の獲得」をゴールとしたブログ

ブログのコンセプト

いつも財布はもたず、スマホとクレカだけで生きる「キャッシュレスオタク」のWebライターによる、キャッシュレス攻略ブログ。実際に使っているからこそわかる、キャッシュレス決済の良いところ・悪いところを徹底解説。利用可能な決済方法はお店に問い合わせて確認しているため、安心して参考にしてもらえる。

運営者のプロフィール

キャッシュレス歴3年。毎日、最新情報をチェックしています。今は28枚のクレジットカード、8種類の◯◯Payを活用しており、日々「コスパの良いキャッシュレス決済」を模索しているキャッシュレスオタク。

本業はSEO記事の制作を主としており、読者へお得に買い物できるキャッシュレス情報を提供しています。キャッシュレス業界を盛り上げたいので、キャッシュレス関連の記事制作はいつでもお受けしています。

ブログ記事の方向性
〇〇Pay・クレジットカードの還元率の解説／〇〇Pay・クレジットカードが使える店の解説／〇〇Pay・クレジットカードの新着キャンペーンの解説／新登場した〇〇Pay・クレジットカードの使用感

キャッシュレス決済に絞っても、いろいろなテーマの記事が思い浮かびます。

これらのテーマをもとに上位表示を狙ってSEO記事を作ることで、同ジャンルで活動しているメディア運営者の目にとまる可能性を高めるのです。

「うちのサイトより上位にいるこのブログ、運営者はライターなのか。実際に結果を出しているこの人に依頼できないだろうか？」とメディア運営者に思わせれば、あなたの勝ちです。

ブログ記事が上位表示している間、その記事はメディア運営者に「この運営者にライティングを任せたい」と思わせる自動集客のツールとして機能します。

仕事獲得のためブログ運営を始めることは素晴らしいことで、ぜひとも取り組んでほしい活動の1つではあります。

しかし、メディアへ直接営業をかけたり、「Twitterを使って仕事獲得につなげたりといった活動に比べて、**圧倒的に効果が出るまでの期間が長い**のです。

そのため、将来的にブログ経由で仕事を獲得したいと考えているなら、Webライターの業務に支障が出ない範囲で長期的にコツコツとコンテンツを更新しなければなりません。率直に言うと、途中で心が折れそうになるほど大変な取り組みです。

ですから、ブログ運営を「すぐに効果が得られるだろう」と思って始めることは推奨しません。

しかし、ブログ記事が上位表示をして自動集客ツールとなるまでの期間に、ブログを有効活用する方法を2つ紹介しましょう。

ブログを執筆記事の見本として、アピールするために使う

たとえば、キャッシュレス決済のメディアが出しているライター募集案件へ、今から応募するとします。

この際、それまでに仕事で執筆したキャッシュレス決済の記事を実績として添付できれば良いのですが、**仕事で納品した記事を「私が書きました」と言って公開してはいけないケースもあります。**

ですから、応募先へキャッシュレス分野における実績を伝えられず、効果的なアピール内容にできない場合があるのです。

しかし、自分のブログに掲載しているキャッシュレス決済の記事ならば、著作権の持ち主が自身であるため好きなように使えます。

公開できる仕事の実績がなくても、メッセージに「過去に私が書いたキャッシュレス決済の記事です」と言ってブログ記事を添付すれば良いのです。

私も自身の実力を示すための参考材料としてブログ記事を提示し、応募時のアピールとする方法を取っていました。効果の大きさは身をもって体感しています。

学んだＳＥＯ知識をブログにアウトプットして、効果を観察

もう1つ、ブログをＳＥＯ知識の実験場所にすることで、ライティングの仕事に役立てる活用方法もあります。

本書を手に取ってくださったなら、これからもライティングやＳＥＯ知識を学ぶために本やＷｅｂメディアを閲覧し、データを蓄えていくはずです。

ただし、人は「覚えたこと」を実践しないと忘れてしまう生き物です。

そのため、勉強と同時にアウトプットをしている人と、勉強だけしてアウトプットをしない人の間には、次第に大きな差が生まれてきます。

Ｗｅｂライターも例外ではありません。

「ふむふむ、ＳＥＯ的にはこれが良いらしい」→「試すと実際にブログ記事の順位が上がった」→「複数の記事で試して、どれも効果があったな」→「そうだ、これを発注者にも共有してみよう」。

学んだＳＥＯ知識を自身のブログにアウトプットしていくと、このような良い流れにつながりやすいのです。

一方、自らブログを運営していなければ自由にSEO施策を試せる機会がないため、学んだSEO知識が本当に好影響をもたらすものか検証する場所がありません。

自分のブログをSEO知識の実験場所にした場合、そうでない場合における知識吸収の違いは明白であるため、アウトプットの場所として活用することもブログ運営の醍醐味です。

売上を増やす業務効率化とスキル習得

第3章の冒頭部分に挙げた5つのポイントのうち、ここでは3つ目から5つ目を一気に解説していきます。

ここまでに紹介した発注者のリピート率を高めたり、新規案件を受注する経路を拡大したりといったノウハウとは異なり、この3つのポイントには仕事のスピードや1案件あたりの報酬額に直接関係するノウハウが詰まっています。

月収を高めるうえで避けて通れない道なので、しっかりと読み進めていただければと思います。

月に5万字分の記事制作をしているなら、1日あたりの**作業効率を5%アップさせるだけでも、執筆量は月5万2500字に増えます。**

1カ月の執筆量が2500字増えれば、年換算すると3万字ほど増えるということ。文字単価1円なら3万円、文字単価2円なら6万円の売上アップにつながるのです。

ここでは、私が作業効率を高めるために購入したもののうち、実際に作業効率の向上を体感できたアイテムをご紹介します

——仕事道具をそろえて業務効率化を図る

疲れない高さ・広さのデスクとチェアを購入

自宅作業派であれば、**デスクとチェアがどれだけ自分の身体とマッチしているかが作業効率を左右します。**

もともと、私は床にべたっと座り、ずいぶんと背の低いテーブルにモニターを載せる格好でカタカタと文章を打っていました。当時、とくに不満はありませんでした

が、首が前傾している状態で長時間作業をしていたようで、首から肩にかけて常に筋肉が張っているような感覚に苛まれ始めたのです。

腰も丸めていたようで、背骨の少し左のほうに電流のような痛みが走るようになり、いよいよ整体師のお世話になることとなりました。

結果、やはり作業環境が良くなかったようで、私の場合はネット検索をする際にだらっと肘をついて身体を預けられる大きなデスクと、ふかふかのクッションが効いた社長椅子を購入して痛みは改善されました。

購入したデスクとチェアにより長時間の仕事が苦痛ではなくなったため、身体に負担がかかっている様子があるなら最初に作業環境の見直しをすべきです。

デュアルディスプレイの導入

デュアルディスプレイとは、1つのパソコンから2つのディスプレイに画面を出力することです。

デスクトップパソコンなら、画面出力のためのメインモニターを1つ机に置いているかと思います。それとは別にもう1枚モニターを追加し、2枚のモニターを使って作業をすることで、**片方のモニターに書きかけの文書を表示し、もう片方のモニターでネット検索画面を表示させられる**のです。

また、カフェ作業派であっても、出先で使える小さなディスプレイが販売されています。Ａ４サイズ程度のディスプレイもあるため、カバンにノートパソコンとミニディスプレイを入れておけば、カフェやファミレスで簡単にデュアルディスプレイ環境を構築できます。

いかなるときも仕事を継続できるようノートパソコンを購入

自宅作業派のライターでもノートパソコンの購入検討をしていただきたいと考えています。

地震や落雷による停電を経験したとき、デスクトップパソコンだけでは非常時に仕事ができません。

「停電になったから納期に間に合いませんでした」は通用しない世界ですから、**いかなるときも事業継続ができるよう準備しておく**ことをおすすめします。

――専門性を高めて売上を伸ばす

売上アップを目指すとき、Webライターが取り組める選択肢は主に2つあります。

- 書ける分野を増やす
- 巻き取る業務を増やす

Webライターが受注単価を上げるとき、多くの人が最初に検討する方法は前者の「書ける分野を増やす」ことです。

これは私も正攻法だと思うものの「やみくもに書ける分野を広げても効果は薄い」ため、注意が必要です。**より高い専門性が求められるジャンルの記事を書けるようになることが、受注単価を上げて売上を伸ばす近道**なのです。

イチから専門性を上げるなら「ずらし営業」を意識する

ずらし営業とは、仕事のジャンルを既存の分野からずらしつつ、少しずつ高い専門性を求められるジャンルに寄せていく営業方法です。

例として、自身の節約経験を武器にしているママライターが、本格的な資産運用ジャンルを主戦場とするまでに、どのようにずらし営業を実践したのかをご説明します。

---

① 節約ジャンルで記事を制作
② ①の実績を武器に、ポイント活動・ポイント投資の案件に応募
③ ②の実績を武器に、簡単なマネーリテラシー系の案件に応募
④ ③の実績を武器に、本格的な資産運用ジャンルの案件に応募

最初は、自身の節約経験を活かして節約ジャンルの記事を作成します。

次に、節約記事を書いた実績を使って提案文を作り、似てはいるものの少し難度の

高いポイント活動やポイント投資の案件に応募。

その次は、つみたてＮＩＳＡやｉＤｅＣｏをおすすめする、簡単な財テク解説の案件に応募するのです。

こうして、徐々に難しいジャンルに移動していけば、やがて専門性の高いジャンルへ行き着きます。

本書でも何度か触れていますが、私はもともと学のない美容師あがりのＷｅｂライターです。それでも、いろいろなジャンルでずらし営業で守備範囲の拡大に努め、一定以上の専門性を求められる記事制作を任せられるようになりました。

これは、どのような領域の案件にも応用できるので実践してみてください。

上流の仕事を巻き取って売上を伸ばす

では次に、「巻き取る業務を増やす」についてご説明します。

メディア運営にまつわる仕事は、ライティングだけではありません。メディアを運営してＳＥＯ記事を公開するまで、あるいは公開したあとにも必要となる業務は、次のようにたくさんあります。

たとえば、メディアの立ち上げ、キーワード選定、ライターの起用・発注、構成案の作成、ライティング、校正、校閲、CMSへの入稿、SNSによる記事拡散、広告出稿、既存記事のリライト（PV&CV改善・情報更新）などです。


これらはメディア運営にかかる業務の一部です。

Webライターが実際に担当することの多い仕事は、さらにこの一部である「構成案の作成」と「ライティング」に絞られています。構成案の作成は担当せず、ライティングのみ任されているWebライターもいるでしょう。

つまり、メディア運営にかかる業務のうち、Webライターがカバーできている業務はごくわずかなのです。これを「そういうものなのか」と捉えるか「ほかの業務も一任してもらえるようになろう」と捉えるかによって、売上の伸びしろは大きく変わります。


結論を言うと、**ライティング以外の業務を担当できるWebライターほど、売上**

は上がる傾向にあります。

たとえば、私の場合はライティングのほかにライターの起用・発注をお任せいただいたり、ほかのライターさんが書いた記事の校正・校閲やＣＭＳ入稿を担当したりするケースもありました。

まれに、新規メディアの立ち上げから参画することもあります。

すると、メディア運営者は「ライターはＡさんに任せて校正・校閲はＢさんに任せよう」と、業務ごとにいろいろな人と連携を取ることなく、私１人にすべてを任せられるため最小限のコミュニケーションで仕事を進められます。

メディア運営者は忙しいので、コミュニケーションの相手は少ないほど楽だと感じるのです。

結果として、私はメディア運営者にとって「１人でプロジェクトの大部分を進めてくれる存在」として重宝されることとなり、その対価として割高な報酬額を受け取れました。これが、Ｗｅｂ周りの業務を巻き取ることのメリットです。

必ずしも、すべての業務を巻き取る必要はありません。

まずは可能な範囲で「私はライティング以外にこれもできます。既存の仕事と一緒にこちらもお任せいただけませんか？」と提案してみることから始めると良いでしょう。

徐々に業務範囲を広げ、1人でカバーできる仕事を増やすほど、あなたはメディア運営者にとってなくてはならない存在に近付いていきます。

ライター＋αを目指す スキルの掛け算

２４４ページの「書ける分野を増やす」、２４６ページの「巻き取る業務を増やす」を意識すれば、Ｗｅｂライターの受注単価は伸びていきます。

では、実際どのように伸びていくのか、参考までに私のケースをご紹介します（網羅すると膨大な量となるため、売上ステージが変わったときに受けた案件をピックアップ）。

藤原の受注単価の伸び

①アニメ・電化製品などの記事：～1円／文字

②株式投資・仮想通貨の記事：～2円／文字
③不動産投資に関連する記事：～4円／文字
④太陽光投資に関連する記事：～10円／文字
⑤投資系メディアの編集業務：～30万円／月
⑥サイト構築から記事制作まで：～20万円／月

少しずつ専門性の高いジャンルの記事制作に移動し、かつライティング以外の業務を巻き取るようにポジションを変えました。

それぞれの節目で、私自身がどのような状況にあったか、どのような心持ちで仕事をしていたのかをお話ししましょう。

──①アニメ・電化製品などの記事：～1円／文字

これは副業Webライターの時代です。

ここだけの話、クラウドソーシングを利用し始めた頃は、成人向けビデオのタイトル考案・改変という業務からスタートしており、Ｗｅｂライターとして恥ずかしくない仕事を始められるようになったのは、ずっとあとのことです。

アニメ・電化製品などの記事制作で文字単価０・２〜１円くらいの案件を受けていたのは、専業Ｗｅｂライターとして独立する少し前の話。「こんな稼げない副業はやめてやる」と言ってＷｅｂライターの世界から二度撤退したのち、三度目の挑戦でやっと1日数百円を稼げるライティング案件を獲得したのです。

当時、本書のようなＷｅｂライター向けの書籍はもちろん、ネット上のライティング記事すら読んでいなかったため、どのように仕事をすれば良いのかわからない期間が続いていました。

ですから、本書を手に取っていただき、熱心に勉強に励んでいるあなたは、当時の私より十歩も二十歩も先に進んでいます。安心してください。

②株式投資・仮想通貨の記事：～2円／文字

私の場合、社会人になってから株式投資に興味を持ち、少額ながら国内株式の売買をしていました。

副業Webライターを始めてしばらくの期間は、その経験が強みになるなど思ってもみなかったのですが、SNSでフォロー関係にあったライターさんの「株式投資のライティングは稼げる」という投稿を目にして、株式投資に関連するライティング案件をクラウドソーシングで探しました。

結果、最大1円付近をうろうろしていた私の平均文字単価は、一気に1・5～2円にまで上昇。専業Webライターになることを決めたのは、株式投資のライティング案件を受注して間もなくでした。

当時「このまま勢いに乗れば、Webライターを通じて豊かになれる」と確証を得て、勤めていた美容室に退職届を出しています。私の場合は、株式投資のライティング案件が稼げるのだと知ったことが転機となりました。

このエピソードのように、あなたは「知っていて当たり前の知識だ」と思っているテーマが、書けるライターの少ない穴場ジャンルであることは往々にしてあります。

穴場ジャンルを見つけられれば、スタートダッシュが効きやすく、売上をアップさせるスピードはずいぶんと速くなります。

改めてあなたの経験や知識を武器にできる場所がないか探してみてください。

もちろん、穴場ジャンルを見つけられなくても、ずらし営業を続けることで高単価な仕事へたどり着くことは可能です。

補足すると、専業Ｗｅｂライターとして活躍している知人は、おおよそ文字単価２円前後のライティング案件を獲得できた段階で独立しているケースが多いように思います。

副業Ｗｅｂライターからキャリアをスタートし、やがて独立を目指しているなら、文字単価２円を１つの指標としてみてください。

③不動産投資に関連する記事：〜4円／文字

いくつかのメディアで株式投資の記事制作を担当するなかで、メジャーな資産運用に関する基礎知識は一通り覚えました。

メディア運営者の商品を紹介するにあたり、株式投資とほかの投資を比較する記事をたくさん書いたからです。

■株式投資と投資信託・ＥＴＦの違い
■株式投資と不動産投資の違い
■株式投資と仮想通貨の違い

こういったテーマの比較記事を書いているうちに、私自身が不動産投資へ興味を持ちました。特に、築古戸建てと呼ばれるボロボロの一軒家を購入し、ＤＩＹを経て住める状態にしてから貸し出すタイプの不動産投資に興味を持ち、そこから頻繁に不動産投資の書籍を買って読むようになったのです。

「せっかく書籍で知識を身につけているのだから、不動産投資について比較以外の記事も書きたい」と思ったことが、不動産投資ジャンル進出のきっかけとなりました。

書籍レベルの不動産知識を持っているWebライターは案外少なく、不動産投資の分野は物件売買を通じて大きなお金が動く領域でもあるため、不動産売買を実業としている企業のメディアなら文字単価3～4円でWebライターを募集することはよくあるようです。

文字単価がどうであれ、将来的に取り組みたいと思っている不動産投資について、書籍やセミナーから学んだことをわかりやすい形で文章に落とし込み、記事化する過程はとても楽しいものでした。

このような「積極的に学習してアウトプットできる環境」を見つければ、自身の知識レベルと文章力の鍛錬を両立できる好循環に入ります。

急いで独立しようと頑張っている段階や、独立直後の必死になっている段階では、好循環への入口を探す余裕がないかもしれません。

さて、文字単価の話に戻ります。

文字単価4円になり、専業Webライターとして1日5000文字程度の文章量を書ければ、それだけで月収50万円は達成可能です。

実際、私が初めて月収50万円に届いたときは、文字単価3円の案件と文字単価4円の案件を掛け持ちしていたときでした。

この段階にたどり着いたら、文字単価を上げることより執筆スピードを速めるべきだという意見もあります。

ただ、私は自身の「1文字あたりの価値」を高めたいと思い、さらにずらし営業を続けました。

――④太陽光投資に関連する記事：～10円／文字

不動産投資のように高額物件の売買が行われる業界であり、メディア運営にも大きなお金が動く傾向にありながら、Webライターが圧倒的に不足している分野がありました。それが、太陽光発電投資のジャンルです。

太陽光発電投資は、個人規模であっても事業として取り組むなら1000万〜2000万円の初期投資がかかります。企業規模であれば数億〜数十億円の取引が行われる領域であるため、太陽光発電投資の専門記事を書けるWebライターになれば重宝されると仮定して勉強を始めました。

これまでに全く執筆経験のないジャンルであり、かつ初心者向けの書籍がほとんど存在しなかったため、勉強は難航。準備は万端とは言えなかったものの、クラウドソーシングに太陽光発電投資のライティング案件が掲載されたタイミングで「もともと不動産投資のジャンルで記事制作をしており、今は太陽光発電投資の書籍・有料メディアを購読しています」とアピールして採用を勝ち取りました。

テストライティングは格安の報酬でしたが、頑張って身につけた太陽光発電投資の知識と文章力を評価されて、最終的に1記事2万円（文字単価10円相当）にまで引き上げていただいています。

このあと解説するライティング周辺の業務巻き取りが苦手な場合は、このように「大きなお金が動く分野×Webライターが不足している分野」を探すことで、書くことのみで月収100万円を目指せます。

⑤投資系メディアの編集業務：～30万円／月

独立して半年ほど経過した頃から、私は自分の担当したSEO記事がネット検索で何位になるのか計測し始めました。自分のライティングスキルが、Googleにどういった評価をされているのか知りたかったのです。

GRC（検索順位チェックツール）と呼ばれる有料ツールを使って確かめたところ、過去に納品した記事は想像以上に検索1ページ目の5位以内に入っていることを知りました。

「これはアピールポイントにできるぞ」と思い、上位表示の実績を掲げて投資系メディアに「上位表示を目指せる構成案の作成から、校正・校閲までまるっと引き受けます」とアプローチし、ライター兼編集者として採用してもらいました。

Webライターとして書いた記事は原稿料をいただき、ほかのライターさんに渡す構成案の作成と、ほかのライターさんからあがってきた記事の編集作業は月額契約で別途受注。いくつかのメディアでこのような契約を結び、原稿料＋10～30万円／月の内容で仕事をしていました。

ただ、数字だけで見れば割の良い仕事に思えますが、その実態はかなりハードです。

メディア運営者と複数のライターさんを取り持つ格好となり、日々のコミュニケーション量はＷｅｂライター一本の頃より一気に増加しました。

さらに、ライターさんに構成案を作成して配り、ライターさんから受け取った記事に手を加える業務は、どうしても自分のペースで仕事を進められません。

また、ライターさんから納品される記事の品質は、すべて自分の責任のもと管理しなければならないため、慣れるまでは強いプレッシャーを感じていました。毎日大勢とコミュニケーションを取ることに慣れ、ライターさんと阿吽の呼吸で連携できる状態になるまで苦労が続いたのです。

その分、プロジェクト全体がうまく進行しているときの充実感は大きく、メディア運営者の信頼に比例して報酬額は増えます。

適性があれば、早々に月収１００万円を達成できる選択肢の１つです。

私が初めて月収100万円のラインに乗ったときの収入内訳は、ライティングによるものが6割、編集業務によるものが4割ほどだったと記憶しています。

⑥サイト構築から記事制作まで‥～20万円／月

編集業務を始めてしばらく経過し、私は「より広範囲の業務をカバーできるようになりたい」と感じていました。

担当業務が広くなるほどプレッシャーや責任は大きくなるものの、メディア運営者と並走している感覚が強くなり、仕事にさらなるやりがいを覚えるからです。

そこで、私はWordPressと呼ばれるシステムを使ったメディア構築と、サイトのデザインに使うHTML・CSSなどのコンピューター言語を学び、簡単なサイト構築を自力で行えるように練習しました。

これにより「これから自社のメディアを作りたい。さらに、できれば安価に済ませたい」といった、中小企業の悩みへ対応できるようになったのです。

その後、私はサイト構築から基本的なページ作成まで担当し、これからＷｅｂライターを探して記事を入れていくだけ、といった状態まで進める契約を取りました。いくつかの企業から10万〜20万円／月ほどの報酬をいただいて、メディア運営のスタート段階を担当しました。

以上が、Ｗｅｂライターとして独立した前後から、ずらし営業や他業務の巻き取りを行って売上を伸ばしてきたプロセスです。

周りを見る限り、私のケースは決してイレギュラーではないと感じています。

Ｗｅｂライターのキャリアに王道ルートはありませんが、１つの参考材料として頭の片隅に置いていただければ嬉しく思います。

月収50万～100万円を稼ぐために

月収50万～100万円を目指している途中、あるいは達成する間近に、あなたは恐らく「Webライティング以外をもっと勉強しないと」と気づくはずです。

税金、マーケティング、ビジネス構築……、ほかの領域にも注力しなければなりません。

そして、これらの事項の優先度がつけられず何をすべきか見失い、稼ぎが失速するケースを見てきました。

紛れもなく、私も失速しかけた1人です。

今思うのは、とりあえず月収100万円までよそ見をせず直進したほうがいいということ。

月収50万円、100万円を順当に達成して「私は頑張って稼いだ」という成功体験と実績を築くことが先決です。

その成功体験は今後の自信となり、収入面の実績は人を引き寄せるパワーになります。

巻末特典Q＆A
よくある疑問とその回答

ブログやSNSを使った発信を始めてから、さまざまな質問をいただいています。そのうち、特に多い質問、ここにまとめることにしました。Webライターの仕事を続けていくにあたり、多くの問題に直面する際、このQ&Aを役立てていただければと思います。

——一度に何社と取引するのが良いですか？

私の場合は、平均3〜5社と取引しています。

これよりも取引先を絞ると、**1社の契約解除による収入減少の割合が大きくなり、増やすと意思疎通に多くの時間をとられてしまう**からです。

取引相手が多いほど、各社から受け取る報酬額が分散されるため、契約解除によって失われる収入の割合は小さくなります。

たとえば、10社から10万円ずつ受け取る場合と、2社から50万円ずつ受け取る場合を比べると、1社の契約解除による収入の減少には5倍の差が出るのです。

だからと言って、取引先を増やすほど良いわけではありません。

10社と取引すれば、AさんとBさんとCさんと……と、少なくとも10人の取引担当者とコミュニケーションをとることになります。

こうして連絡先が増えると、報連相にかかる時間が膨れ上がってしまうのです。

報連相にかかる時間を短縮しようとしてコミュニケーションの密度を落とせば、取引担当者とあなたの認識にズレが生じる懸念があります。

ですから、充実したコミュニケーションを維持できるよう意識しつつ、契約解除による大痛手を被らないように複数社と取引する意識が大切です。

以上を考慮して、Ｗｅｂライターとして活動を始めたばかりの頃は1社、一通り仕事の流れを理解できた段階から2～3社と、少しずつ取引先の数を増やしてみてください。

私の場合は「副業として活動するなら1～2社、独立後は3～5社がちょうど良い」という結論に行き着きました。

——未経験分野の仕事は挑戦すべきでしょうか？

未経験の分野に挑戦するＷｅｂライターこそ、どんどんと収入を高めていける人材になると考えています。

熟練した分野の仕事のみを続けることも1つの正解です。

しかし、良くも悪くも状況が変わることがありません。決まった分野の仕事だけを担当している限り、新たに**「この分野の仕事は私と相性が良いかもしれない」**と気づく**こともない**のです。私はそれをリスクだと思っています。

身1つで稼ぐ場合、より良い仕事を見つける機会をみすみす逃してしまうことは損失なのです。

「もっと自分の力を発揮したい。そして収入も経験値も底上げしていきたい」と思うなら、未経験分野にも挑戦することを強くおすすめします。

「1つのテーマに関して20〜30記事書いた頃に、類似したテーマの仕事にチャレンジしてみる」といった意識で取り組めば、テーマ1つずつの熟練度をしっかり高めつつ、チャレンジの機会も作れるでしょう。

また、仕事を長く続けていれば、何度も「こういった記事制作には対応できますか？」と相談される機会に遭遇します。

この際、未経験分野の仕事を紹介されることもあるため、ぜひチャンスだと思って挑戦してみてください。

――どのように自分の値付けをすれば良いですか？

歴の長いＷｅｂライターであっても、自分の値付けに困ることは多いようです。駆け出しなら、なおさら提示する報酬額に迷うでしょう。

ただ、値付けに困るからといって「ご予算はいくらですか？」と尋ねてばかりではいけません。その道のプロになるなら、**自分の適正価格を決めておくべき**です。

発注者が明確な予算を決めていない場合、まずは報酬額の相談から始まります。自分の適正価格を決めていないＷｅｂライターは、このときに「貴社の予算はどのくらいですか？」と質問しがちです。

発注者側は外注費をできる限り抑えたいため、予算に対して無理のない価格を提示します。

この際、提示された価格を安いと感じたＷｅｂライターが**「その予算ではお受けできません。もう少し報酬額を上げていただいて良いですか」と頼み込むケース**を何度か目にしましたが、これは**一番やってはいけないパターン**です。

無駄なやり取りが生まれますし、何より発注者の心証を損ねてしまいます。

ですから、私はあらかじめ、次の3つの観点から最低単価と理想単価を決めておき、自身の忙しさに応じて2つの単価を使い分けるようおすすめしています。

① 1日に何文字書けるのか
② 1日に何円稼げば生活できるのか
③ 1日に何円稼ぎたいのか

これら3つを、月あたりの稼働日数から導き出してください。

各要素を簡単な計算式に当てはめると、下回ってはいけない文字単価（最低単価）と、今理想とする文字単価（理想単価）を求められます。

最低単価＝1日に何文字書けるのか÷1日に何円稼げば生活できるのか

理想単価＝1日に何文字書けるのか÷1日に何円稼ぎたいのか

私の場合、**手持ちの仕事が少ないときは最低単価で受注し、手持ちの仕事が多いときは理想単価を提示**します。

自分の適正価格を決められず、つい予算を伺ってしまう場合は、値付け方法の1つとして参考にしてください。

記事単価の場合でも、応用すれば対応できるはずです。

――受注単価アップの交渉方法を教えてください

受注単価を高めたいのであれば、まずWebライター自身が、**発注者にとって「より多くの報酬を支払って確保したい人材」でなければなりません。**

あなたの受注単価は、あなたの能力に対する評価だと考えてみてください。

自主的な勉強によりあなたの能力が高くなり、発注者がそれを必要とするなら、受注単価が高くなることに正当性が生まれます。

発注者に報酬額を引き上げるだけの余力がない場合は別ですが、基本的にはあなたが知識と経験を増やし、成長するほどに受注単価は上がっていくでしょう。

ただし、すべての発注者があなたの成長に気づき、評価してくれるわけではありません。発注者はＷｅｂライターの親ではありませんから、「この人は成長しているな」と感じ取ってもらえるケースは稀です。

ですから、Ｗｅｂライターは自ら成長意欲があり、実際に成長していることをアピールする必要があります。

「記事制作に活かしたいと思い、○○のセミナーに参加しました」
「業界の動向を知るため、有料メディア○○の購読を始めました」
「以前書いた記事、○○のキーワードで1ページ目に入りました」

褒めてくださいと言わんばかりにアピールすると逆効果ですが、普段のやり取りのなかで「最近、◯◯のセミナーに参加して学びがあったので、情報を共有しますね」と言えばどうでしょうか。

自然な流れで、向上心の高さを伝えられるはずです。

このような積み重ねの末、発注者にとっての期待のエースライターになることで、受注単価を上げてほしいと相談したときに要望が通りやすくなります。

単価交渉を持ちかける機会としては、次のタイミングが好ましいでしょう。

■仕事に求められる能力と報酬額が釣り合わないと感じたとき
■自身の書いた記事が、大きな成果を生んでいると把握したとき
■続けて高評価をもらい、発注者から重宝されていると感じたとき

単価交渉の際、私がどのような内容のメッセージを送っているのかご紹介します。

〇〇様

いつもお世話になっております。藤原です。

―― 中略（メッセージへの返答など）――

また、今後の契約条件について相談がございます。

・自身の平均受注単価が〇〇円程度に上昇していること
・多方から依頼相談をいただき、リソースの確保が難しいこと
・執筆内容の専門性が高まっており、リサーチにコストを要すること

これらの理由から、文字単価の見直しをご検討いただきたく存じます。
具体的には、〇月より文字単価を〇〇円まで引き上げていただければ、記事作成のリソースを御社のご依頼に集中できると考えております。
今後も、長期にわたり御社のメディアに貢献できればと思っておりますので、早々に相談いたしました。お忙しいところ恐縮ですが、ご検討のほどお願いいたします。

単価交渉は、より多くの報酬額を引き出すための駆け引きではありません。誠意のない単価交渉は信用を失う原因となるため、あくまで「報酬額を適正価格にしてもらう相談」だと考えてください。

記事制作に時間がかかります。どうしたら良いですか？

記事制作に時間がかかるという悩みは、よく届きます。

相談内容を掘り下げると、その多くは記事制作前の情報収集に時間がかかっていることがほとんどです。

- 少数の分野に注力して、基礎知識を蓄積していく
- 調べたことをまとめ、次回のために整理しておく

まず、特定の分野にまつわる記事を書き続けていくと、その分野の基礎知識が蓄積されていきます。

たとえば、再生可能エネルギーの記事を書いているなら、京都議定書やパリ協定について何度も解説することになります。すると、次第にこれらへの理解は深まり、京都議定書やパリ協定について調べなくても概要程度は書けるようになるのです。

あなたの趣味や本職に関する基礎知識ならば、一から調べることなくスラスラ説明できることと同じです。

特定分野について書き続けていれば、基礎知識が蓄積されてリサーチに要する時間は短くなり、結果として記事制作の時間は短縮されます。

一方で、一度や二度記事を書いた程度ではなかなか記憶できません。毎回、一から調べることになるのです。これでは非効率ですよね。

ですから、**「いずれ使いそうな情報」は、調べた日にまとめて、WordやExcelに書き入れてしまいましょう。**

概要・ポイントを箇条書き形式でメモ

パリ協定（最終更新日○月○日）
パリ協定は、２０２０年以降における地球温暖化対策の世界的な枠組み。

このように、記事制作に使う情報の概要・ポイントを箇条書き形式でメモしておけば、あとから振り返るとき効率的に内容を思い出せます。

プライバシーに関する記事なら、先ほどのパリ協定の部分には「個人情報保護法」や「ＧＤＰＲ」といった法令の要点が並ぶでしょうし、不動産についての記事を書くなら「不動産取得税」や「登録免許税」といった税金の算出手順が並ぶでしょう。

以前、「1日に2500文字しか書けず、Ｗｅｂライターを続けられるかどうかの瀬戸際にいます」とご相談いただいたことがあり、後者の内容をお伝えしたところ

「1日に6500文字を書けました」と報告がありました。

記事制作の時間を短縮する解決策として、原稿のクオリティを落とすわけにはいきません。

まずはここで紹介した小さな積み重ねから取り組むことをおすすめします。

おわりに　最短ルートで月収１００万円への道を歩こう

いかがでしたでしょうか。

本書は、「未経験時代の自分が読んでいたら、月に１００万円を稼げるのか」とずっと自問しながら執筆しました。

その上で、やさしい内容から難しい内容まで、また、即効性を期待したテクニックから普遍的なノウハウまでを、数多く盛り込んでいます。

最短ルートで月収１００万円になるのに必要なこと、すべてが詰まっていますから、Ｗｅｂライターを目指すあなたにとって、必ず役立つものになっていると自負しています。

ぜひ、実践しながら、何度も読み返してください。

しかし、網羅しているとはいえ、Ｗｅｂ業界は移り変わりの激しい領域です。求められることは少しずつ変わります。

本書を熟読し仕事を進めながら、ぜひあなたも新しい知識を貪欲に学び続けましょう。厳しい世の中を乗り切るために、私も日々勉強しています。

本書で私が伝えたかったメッセージ・ノウハウは以上です。
最後までお読みいただきありがとうございました。

Ｗｅｂライター・編集者　藤原将

ライティングメルマガ

ライティングメルマガでは、私が得た知識を共有し、読者の方と共に学び続ける場を提供しています。

副業・在宅OK、未経験からはじめられる
「文章《ぶんしょう》起業《きぎょう》」で月《つき》100万円《まんえん》稼《かせ》ぐ！

2021年 3 月 31 日　初版発行
2022年 4 月 15 日　3刷発行

著　者……藤原《ふじはら》　将《しょう》
発行者……塚田太郎
発行所……株式会社大和出版
東京都文京区音羽1-26-11　〒112-0013
電話　営業部03-5978-8121／編集部03-5978-8131
http://www.daiwashuppan.com
印刷所……誠宏印刷株式会社
製本所……株式会社積信堂
ブックデザイン……小口翔平＋奈良岡菜摘＋大城ひかり（tobufune）

ISBN978-4-8047-1877-4